D1258894

Né à Paris en 1963, Damien Colas suit une formation de biochimiste à l'Ecole normale supérieure avant de se tourner vers la musicologie. Agrégé de musique, il enseigne depuis 1988 l'histoire de la musique à l'université Paris-IV. Il a écrit plusieurs articles sur l'opéra italien, des notices sur Rossini et Verdi pour le *Dictionnaire des œuvres de l'art vocal* sous la direction de Marc Honnegger (Bordas). Elève de Jean-Michel Vaccaro (Tours) et de Philip Gossett (Chicago), il prépare sous leur direction un doctorat sur l'improvisation dans les opéras de Rossini.

Pour Samuele et Sara

Tous droits de traduction
et d'adaptation réservés
pour tous pays
© Gallimard 1992

Dépôt légal : septembre 1992
Numéro d'édition : 55792
ISBN : 2-07-053202-X
Imprimerie Kapp Lahure
Jombart, à Evreux

ROSSINI
L'OPÉRA DE LUMIÈRE

Damien Colas

DÉCOUVERTES GALLIMARD
MUSIQUE

Homme de théâtre avant tout, Rossini n'est souvent connu qu'au travers des représentations qu'il donnait de lui-même. La plupart des biographies, écrites tardivement sous l'influence d'un enthousiasme peu critique, décrivent le masque que le compositeur portait en société et non son vrai visage. Aujourd'hui encore, cet homme reste une énigme.

CHAPITRE PREMIER

LES FARCES DE JEUNESSE

« Depuis la mort de Napoléon, il s'est trouvé un autre homme duquel on parle tous les jours à Moscou comme à Naples, à Londres comme à Vienne, à Paris comme à Calcutta. La gloire de cet homme ne connaît d'autres bornes que celles de la civilisation, et il n'a pas trente-deux ans ! »

Stendhal,
Vie de Rossini

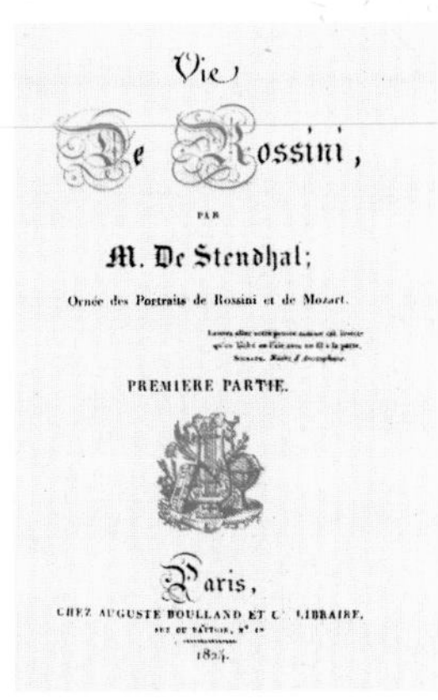

Vie
De Rossini,
PAR
M. De Stendhal;
Ornée des Portraits de Rossini et de Mozart.

PREMIERE PARTIE.

Paris,
CHEZ AUGUSTE BOULLAND ET C.ᵉ, LIBRAIRE,
1824.

A dì 29. di Febraio 17
hino Antonio fig.o di Giuseppe d
e Anna fig.a di Dom.co Guidarini Co
battezzato da me Giammich.e
furono il Nobile Sig.r Conte
e la Nob.e Sig.a Catterina Giova

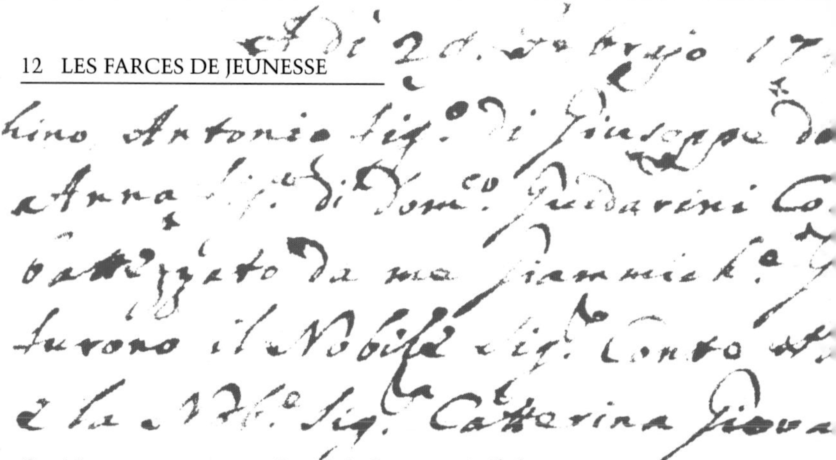

Curieux personnage que Rossini. Que restait-il de son œuvre lorsqu'il disparut en 1868 ? Pratiquement rien. *Le Barbier de Séville*, ainsi que certaines ouvertures, devait passer à la postérité. A cause du *Barbier*, Rossini devint pour beaucoup un compositeur futile, «inutile»... Fort heureusement, la fondation Rossini de Pesaro prit l'initiative, après la Seconde Guerre mondiale, d'un lent et patient travail de restauration de l'œuvre, parvenue au public contemporain dans un état de profond délabrement. Sauvés de l'oubli dans lequel ils avaient sombré, les grands opéras composés pour Naples virent à nouveau le jour

A la fin du XVIIIe siècle, Pesaro (ci-dessous) n'était encore qu'un petit port sur l'Adriatique à l'embouchure de la Foglia. Ville fortifiée, elle était entourée de coteaux couverts de vergers et de vignobles.

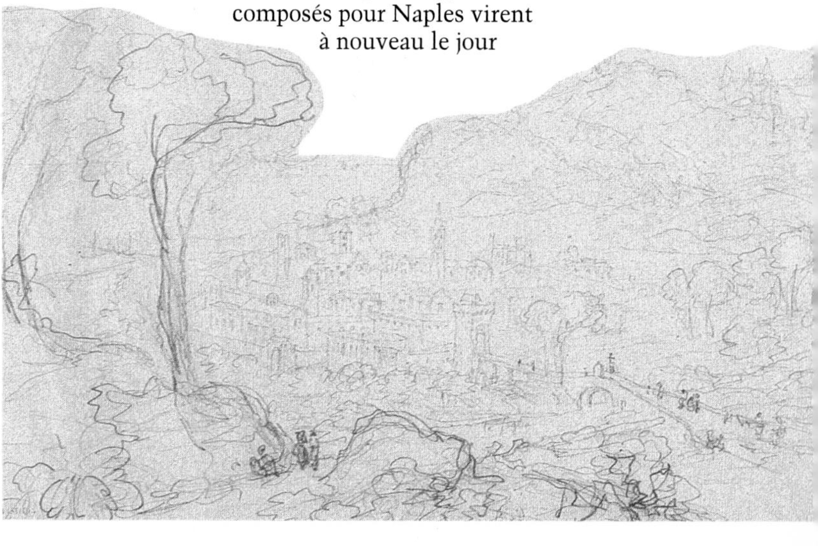

sur la scène du Festival de Pesaro, dans la splendeur de leurs versions originales. Pour retrouver Rossini, il fallait oublier la légende.

Une enfance marquée par l'opéra

Pesaro, 1790. Domenico Guidarini est boulanger ; sa fille Anna, aînée de quatre enfants, peu instruite, travaille comme couturière. La famille mène une vie simple et modeste, sans histoire. Mais en avril de cette année, l'immeuble où ils logent, via del Fallo, accueille comme locataire un personnage important : le nouveau *trombetta* de la ville, un corniste originaire de Lugo, du nom de Giuseppe Antonio Rossini. Giuseppe a trente-deux ans ; il est connu pour son tempérament volcanique, qui lui a valu le surnom de *Vivazza*. Anna a dix-neuf ans ; elle est jolie, douce et gracieuse. Ils se marieront le 26 septembre 1791, et leur fils unique naîtra cinq mois plus tard, le 29 février 1792. Baptisé le jour même à la cathédrale de Pesaro, il recevra les prénoms de ses grands-parents paternels, Giovacchino et Antonia.

Ces portraits d'Anna et de Giuseppe datent des années 1820, alors que Gioachino était célèbre. On peut remarquer une nette ressemblance entre le père et le fils : mêmes yeux, même nez, même construction du visage.

En épousant un musicien, doublé d'un aventurier dans l'âme, Anna va découvrir une vie palpitante, riche d'événements. Giuseppe est un virtuose de son instrument : il s'est fait applaudir en 1789 dans l'orchestre du théâtre de Pesaro, au cours de la saison de carnaval. En 1801, il sera élu à la fameuse Académie philharmonique de Bologne, qui rassemble les meilleurs musiciens de l'époque. Tout virtuose qu'il est, Giuseppe n'en fait pas moins le tour des théâtres de la région pour gagner sa vie. Anna ne tarde pas à l'accompagner, et à mettre sa jolie voix naturelle de soprano au service d'une carrière de *seconda donna* (second rôle). N'ayant jamais su lire la musique, elle chante à l'oreille et apprend ses rôles de mémoire. Cela ne l'empêchera pourtant pas de connaître son heure de gloire. En 1802, à Trieste, elle aura l'honneur insigne de chanter dans *La Morte di Semiramide* de Nicolini aux côtés de Giuseppina Grassini, célèbre *prima donna*

Anna Guidarini (1772-1827), ici en costume de scène.

contralto qui avait Bonaparte à ses pieds – c'est-à-dire le monde entier.

On pratique donc l'opéra en famille chez les Rossini, comme chez beaucoup d'autres musiciens italiens. Lorsque les parents partent en tournée, l'enfant Giovacchino est confié à sa grand-mère paternelle, Antonia Olivieri. Très vite, il se révèle être turbulent, dissipé, intenable... en un mot le digne fils de son père.

La vie provinciale après la tourmente napoléonienne

Pesaro fait partie des Etats du pape depuis Pépin le Bref. Au cours des années 1790, la petite ville, lasse de la domination de Pie VI, s'agite lentement sous le souffle de la Révolution française. Et lorsque les soldats de Bonaparte y entrent en 1797, ils sont accueillis comme des libérateurs. Le Vivazza, en particulier, ne cache pas son enthousiasme. Il est cependant difficile de déterminer dans quelle mesure il participa au gouvernement républicain provisoirement installé. Toujours est-il qu'il sera emprisonné par les Autrichiens en 1799, pour n'être libéré qu'à la

La mère de Rossini, Anna Guidarini (page de gauche) dut se retirer après une assez courte carrière. Beaucoup d'illustres chanteurs de cette époque, comme la Mainvielle-Fodor, détruisirent leur voix sur scène, ce qui laisse songeur sur la technique vocale qu'ils utilisaient.

«*E i fu!*» Ainsi commence le poème *Il cinque maggio 1821* dédié par le grand poète Alessandro Manzoni à la mémoire de Napoléon : «Il fut.» Car l'œuvre de Bonaparte en Italie s'avéra déterminante. Avec lui, l'unité italienne fit ses premiers pas. Ses soldats furent accueillis en libérateurs et portés en triomphe. Les autorités papale et autrichienne étaient définitivement ébranlées. Si, en 1815, le Congrès de Vienne rétablit l'ancienne partition de la péninsule, le formidable espoir suscité par l'épopée napoléonienne ne disparut pas pour autant. Les patriotes, les *carbonari* (charbonniers), qui s'organisèrent sous la Restauration, en furent les continuateurs et préparèrent la voie du Risorgimento.

victoire française de Marengo en 1800.

La famille déménage alors et s'installe pour quelques années à Lugo, ville d'origine des Rossini. Gioachino (c'est sous cette orthographe qu'il signera le plus souvent) découvre petit à petit un intérêt pour la musique, au grand réconfort de ses parents qui commençaient à s'inquiéter de sa turbulence. Son père lui enseigne probablement les premiers rudiments du cor. Comme l'enfant fait preuve de facilités évidentes dans cet apprentissage, le Vivazza le confie au chanoine Giuseppe Malerbi. C'est à ce chanoine et à son frère Luigi, amateurs éclairés issus d'une riche famille de Lugo, que Rossini doit ses premières leçons de forte-piano et de chant. Mais ce qui le marque avant tout, c'est la découverte, dans la bibliothèque du Palazzo Malerbi, de partitions de Haydn et de Mozart, compositeurs encore fort peu joués en Italie. C'est une révélation, un émerveillement ! Emporté par cette musique, Gioachino s'essaie à son tour

Dans le domaine de l'opéra, la filiation entre Mozart et Rossini semble évidente. Pourtant, c'est par leur musique instrumentale que Rossini découvrit les grand maîtres viennois Mozart et Haydn (ci-dessous). Même si Rossini composa lui-même très peu de sonates à quatre, il découvrit dans cette forme un idéal de «musique pure» auquel il devait rester attaché tout au long de son œuvre. Ceci peut sembler un paradoxe chez un musicien de théâtre.

à la composition. Ses premiers exercices sont corrigés par Giuseppe Malerbi. A cette formation musicale s'ajoute la fréquentation, très jeune, du monde du théâtre, car il suit maintenant ses parents dans leurs tournées. Au cours d'un séjour à Ravenne, il fait connaissance avec le mécène Agostino Triossi. C'est pour lui que Gioachino écrit sa première œuvre véritable, les six *Sonates à quatre*, pour deux violons, violoncelle et contrebasse. Ces sonates sont encore timides dans le maniement des formes musicales, mais montrent un instinct très sûr pour l'écriture mélodique, et une parfaite connaissance du jeu des instruments. Rossini n'a alors que douze ans.

En réalité, s'il sut accepter les contingences théâtrales de son époque, Rossini ne cessa d'essayer de les dépasser. Son souci de la forme et le soin particulier qu'il prit pour l'écriture orchestrale en témoignent.

Bologne : à l'école des plus grands

En 1804, Anna souffre d'une maladie du larynx, et doit mettre fin à sa courte carrière de chanteuse. Giuseppe décide alors de s'installer à Bologne, où il est plus facile de gagner sa vie. C'est une chance pour Gioachino, qui trouvera dans cette ville de grande

tradition musicale l'opportunité de poursuivre ses études auprès des meilleurs maîtres. L'Académie philharmonique, fondée en 1666, est peut-être la société de concerts la plus fameuse d'Europe. Elle doit sa réputation à l'éminente figure du Padre Martini qui eut comme élèves J. C. Bach, Gluck et Mozart. Lorsque les Rossini s'installent à Bologne, l'ombre du Padre Martini plane encore sur la ville en la personne de son successeur, le Padre Mattei.

En attendant de devenir son élève, Gioachino commence à travailler pour aider ses parents. Il chante comme soprano à l'église et dirige des répétitions d'opéra au théâtre – où l'on gagne deux fois plus. Sa voix est prometteuse. Après avoir tenu sur scène le rôle d'Adolfo dans la *Camilla* de Paër au Teatro del Corso en 1805, il entrera à l'Académie comme chanteur en juin 1806. Il a alors quatorze ans, l'âge même qu'avait Mozart lorsque, trente-six ans auparavant,

Bologne (ci-dessus et à droite) fut, dès la fin du XVIIIe siècle, le foyer de formation musicale de l'Italie du Nord. Ci-dessous, le Padre Mattei.

il fut reçu à cette même Académie. Mais ce don pourrait lui être fatal : Francesco Maria Guidarini, frère d'Anna, incite sa sœur et son beau-frère à le faire devenir castrat. Les castrats vivaient dans l'opulence, certes, mais bien peu de garçons survivaient à l'opération.

Heureusement, l'avenir de Gioachino semble déjà s'engager vers une autre voie : ses progrès en composition sont fulgurants. L'année 1806 marque un tournant dans sa vie. Il fait la connaissance du ténor Domenico Mombelli, qui lui donne à composer tantôt une aria, tantôt un duo ou un ensemble. Ceci n'est qu'un jeu divertissant pour Gioachino qui écrit ainsi son premier opéra. *Demetrio e Polibio*, sur un livret peu glorieux de Vincenza Mombelli (la femme de Domenico) vaguement inspiré du *Demetrio* de Métastase, ne sera créé à Rome que six ans plus tard.

Le «Tedeschino»

En avril 1806, Gioachino entre enfin au Lycée musical dans la classe du Padre Mattei. Il y restera quatre ans. L'enseignement est sévère, académique. Le Padre Mattei est intraitable sur les fautes d'écriture. Rude épreuve pour un adolescent qui a déjà composé ! Mais Gioachino acquiert à cette école une formation des plus solides, un «métier» qui lui permettra plus tard d'écrire de façon très rapide. En plus du cours de composition, l'enseignement comprend des cours de chant, solfège, violoncelle et piano, ainsi qu'un cours de littérature italienne, où l'adolescent découvre *La Divine Comédie* de Dante, le *Roland furieux* de l'Arioste et la *Jérusalem délivrée* du Tasse. Gioachino se plonge plus que jamais dans les compositions de Haydn et de Mozart, ses modèles. En 1811, il dirigera à l'Académie philharmonique la première exécution italienne des *Saisons* de Haydn. L'écriture vocale et le soin de l'orchestration de ses premiers ouvrages trahissent cette influence. Ses

Le seul ouvrage théorique du Padre Mattei, *Pratica d'accompagnamento sopra bassi numerati* (traité de basse continue), fut traduit en français et utilisé jusqu'à la fin du XIXe siècle, ce qui atteste de la célébrité de son auteur, qui compta également parmi ses élèves Gaetano Donizetti. Rossini affirmera plus tard avoir été considéré par lui comme «le déshonneur de son école», sans doute en raison des difficultés qu'éprouvait l'adolescent à se plier aux règles rigides du contrepoint et de la fugue.

condisciples l'affublent du sobriquet de *Tedeschino*, ce qui signifie «Petit Allemand». Hélas, il doit quitter le Lycée musical en 1810. Ses parents ont de plus en plus besoin de son aide financière.

Un Canadien en Angleterre

Les chanteurs Giovanni et Rosa Morandi, amis de la famille Rossini, le recommandent alors au marquis Cavalli, imprésario du théâtre San Moisè de Venise. La saison d'automne est prête; mais au dernier moment, un opéra prévu fait défaut. Pour ainsi dire «au pied levé», Gioachino accepte de mettre en musique le livret de *La Cambiale di matrimonio*

Un amant dissimulé derrière un paravent, une charmante jeune femme, un mari vieux et jaloux... Voici croquée en quelques traits une situation d'archétype de comédie par le peintre francais Boilly. Ce type de situation nourrissait encore le théâtre comique lorsque Rossini aborda le genre dans les années 1810.

(*Le Mariage par lettre de change*) de Gaetano Rossi, où un Canadien, Slook, fort peu instruit des bonnes manières européennes, achète Fanny, la fille de son fournisseur anglais Tobia Mill, au moyen d'une lettre de change. Heureusement, il ne pourra l'acquérir, car la jeune fille est... «hypothéquée» par le jeune Edoardo. Au cours des répétitions de cette farce en un acte, les chanteurs se plaignent d'une orchestration trop fournie, qui tend à couvrir la voix. Dès son premier ouvrage, le Tedeschino se distingue ainsi de ses contemporains par sa prédilection pour une écriture orchestrale riche et colorée, qui rejette le simple rôle d'accompagnement pour disputer aux chanteurs l'intérêt

Grâce à ses parents, Rossini découvrit très jeune l'univers magique des coulisses. C'est probablement de là que lui vint sa passion pour le théâtre. Mais c'est aussi ce qui lui permit de se familiariser avec les *convenienze teatrali*, ensemble de règles et de conventions qui régissaient les productions de l'époque. Règles non écrites, et différant en cela de celles du contrepoint et de l'harmonie, mais au moins aussi contraignantes pour le musicien.

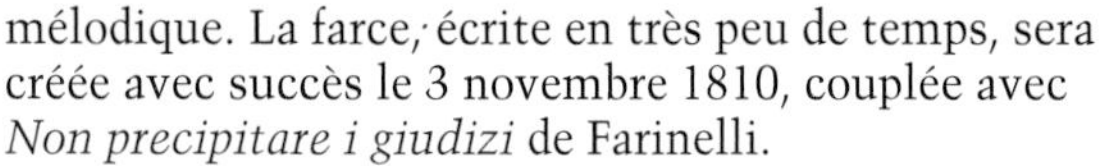

mélodique. La farce, écrite en très peu de temps, sera créée avec succès le 3 novembre 1810, couplée avec *Non precipitare i giudizi* de Farinelli.

Les farces de Venise

1812 marque le véritable début de la carrière de Rossini. La productivité du compositeur touche ici au prodige : en un an, il n'écrira pas moins de six opéras ! Du jour au lendemain, celui qui n'était encore qu'un jeune homme inconnu deviendra le compositeur le plus célèbre d'Italie, devançant la «noble armée d'honnêtes artisans qui fournissent chaque année l'incroyable quantité d'opéras demandés par les théâtres».

Les archétypes de la comédie ne concernent pas uniquement les situations, mais aussi les caractères. L'*opera buffa* comprend deux classes de personnages, la *parte seria* et la *parte buffa*. Le couple de jeunes premiers, dont le style de chant est volontiers élevé et sentimental, appartient à la première catégorie.

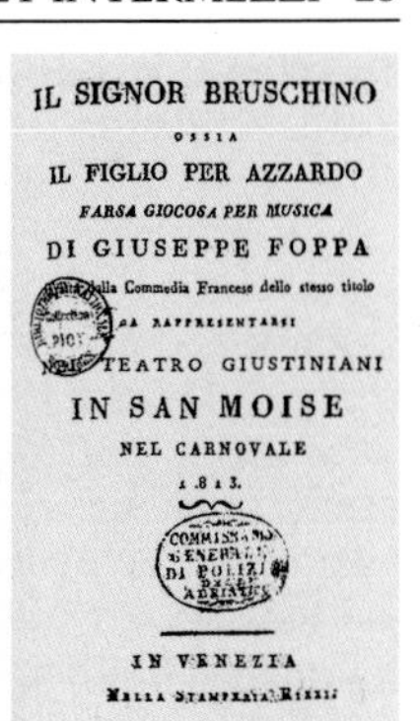

IL SIGNOR BRUSCHINO

OSSIA

IL FIGLIO PER AZZARDO

FARSA GIOCOSA PER MUSICA

DI GIUSEPPE FOPPA

[illegible]lla Commedia Francese dello stesso titolo

DA RAPPRESENTARSI

[illegible] TEATRO GIUSTINIANI

IN SAN MOISE

NEL CARNOVALE

1813.

IN VENEZIA

NELLA STAMPERIA [illegible]

Dernière farce du cycle de 1812, *Il Signor Bruschino* (ci-dessus) déçut le public vénitien encore très attaché à l'esthétique sentimentale du genre *semi-serio*.

Parmi ces six opéras se trouvent quatre nouvelles farces commandées par le théâtre San Moisè de Venise, spécialisé dans ce genre mineur dérivé de l'*intermezzo* du XVIIIe siècle, qu'un imprésario peut confier sans trop grands risques à un débutant. La farce ne dure qu'un acte et ne compte qu'un petit nombre de personnages. Rossini lui confère pourtant ses lettres de noblesse, et lui accorde autant de soin qu'aux opéras qu'il écrira plus tard. Ses farces sont de vraies «miniatures». Les trois meilleures sont le fruit d'une collaboration heureuse avec le librettiste Giuseppe Foppa, qui s'inspire souvent du théâtre français. *La Scala di seta* est tirée de *L'Echelle de soie*, livret de Planard mis en musique par Gaveaux

Les caractères qui constituent la seconde catégorie des personnages de comédie proviennent des sources les plus anciennes. D'un côté se trouvent les valets, descendant des *zanni* de la *commedia dell'arte*. De l'autre se trouvent les vieillards, les *comici senes* hérités du théâtre de Plaute. Ils représentent chacun un travers : l'avarice, la vanité, la colère. Dans son traité *Dell'opera in musica* (1772), Antonio Planelli explique le fondement éthique de la comédie. Au moyen de la caricature, elle doit instruire sur les défauts humains et les dénigrer.

en 1808, alors que *Il Signor Bruschino, ossia il figlio per azzardo* provient du *Fils par hasard, ou Ruse et Folie*, comédie de Chazet et Ourry datant de 1809.

Musicalement, ces œuvres sont empreintes d'un style sentimental qui caractérise le Rossini de jeunesse. La première farce, *L'Inganno felice* (*L'Heureux Stratagème*), s'apparente plus à l'*opera semi-seria*, genre mixte très en vogue à la fin du XVIIIe siècle, qu'à une comédie. Sur un livret très voisin dû à Palomba, l'œuvre avait déjà été mise en musique par Paisiello en 1798. Son intrigue présente les mêmes préliminaires que *La Finta Giardiniera* de Mozart : une femme (Isabella), accusée à tort d'adultère, est rejetée par son mari (Bertrando) et abandonnée en mer. Rescapée, elle se fait passer pour une autre femme, du nom de Nisa. La veine sentimentale et lyrique est directement attachée au personnage de l'héroïne, émouvant et pathétique. La deuxième farce, *La Scala di seta*, rappelle clairement *Il Matrimonio segreto* de Cimarosa, ce qui fut relevé par les critiques et reproché au librettiste. Le vieux Dormont destine sa jeune pupille Giulia à Blansac, alors qu'elle vient d'épouser secrètement Dorvil,

Les farces de 1812 décrivent un arc menant du style sentimental de *L'Inganno felice* au jeu exubérant du *Signor Bruschino.* Le second thème de l'ouverture (ci-dessous) est fondé sur un vertigineux mouvement tournoyant qui entraîne l'auditeur jusqu'à l'empêcher de respirer.

Au XVIIIe siècle, le déclin de la République sérénissime s'accompagna de fêtes musicales somptueuses qui sont restées célèbres. A côté des concerts donnés dans les *ospedali* existait une intense activité d'opéra. Venise fut à cette époque le principal foyer de développement de l'*opera buffa*, prenant le relais de Naples où le genre était né au début du siècle. Le principal artisan de cette floraison fut le poète et librettiste Goldoni, dont l'influence sur l'opera buffa peut être comparée à celle de Métastase sur l'*opera seria.* Dans sa réforme dramatique, Goldoni établit un équilibre entre *parte seria* et *parte buffa*, créant le genre du *dramma giocoso.*

qui la rejoint chaque nuit en montant à son balcon par une échelle de soie. L'expression sentimentale est réservée aux jeunes premiers, soprano et ténor lyriques, alors que le jeu est mené — ce qui est traditionnel — par le valet, baryton. Ce dernier, du nom de Germano, est un personnage essentiel de la comédie, qui anticipe ce que sera Figaro. Avec *Il Signor Bruschino*, la troisième de ces farces, Rossini clôt ce cycle de jeunesse. Le compositeur s'éloigne ici du style sentimental pour prendre une autre direction, qui sera celle des grandes comédies ultérieures. Le jeu y prédomine nettement, il s'affine, et débouche sur une ironie piquante. Tout concourt à le magnifier, que ce soit le chant (comme dans l'air de Bruschino fils «*Son pentito, tito, tito*») ou l'orchestre.

La Scala de Milan n'était pas encore le premier théâtre de la péninsule. Elle ne le devint qu'avec Verdi.

Au cours de l'ouverture, les seconds violons frappent leurs pupitres de leurs archets, singeant un chef interrompant une répétition. Le public, habitué aux douceurs de la comédie sentimentale, sera quelque peu déconcerté par cet humour, ce «non-sens» qui annonce la folie de *L'Italienne à Alger*.

Un chef-d'œuvre d'artisan : La «Pietra del paragone»

Les farces remportent un vif succès, surtout *L'Inganno felice* qui est représenté pendant toute la saison de carnaval. Ce succès suscite d'autres commandes, à Venise et à Ferrare, et les enchères commencent à monter. En août 1812, Rossini obtient un contrat à la Scala de Milan pour une comédie en deux actes. Le livret proposé, *La Pietra del paragone* (*La Pierre de touche*), est une merveille de finesse,

impregnée de l'esprit des comédies du XVIIIe siècle.

L'opéra est créé le 26 septembre. Cette fois, ce n'est plus un succès, mais un triomphe ! *La Pietra del paragone* est jouée cinquante-trois fois d'affilée au cours de la même saison. Si Rossini a fait son apprentissage avec les farces du San Moisè, il signe ici son chef-d'œuvre d'artisan. Il devient un *maestro di cartello* (tête d'affiche), dont le nom suffit à remplir une salle. Toutes les conditions sont réunies pour assurer la réussite de la représentation. Le livret est excellent : à la tendresse et à l'élégance du personnage de Clarice s'opposent la bouffonnerie et le ridicule de Macrobio, journaliste présompteux et vénal, et de Pacuvio, poète sans talent, dont le librettiste croque des portraits irrésistibles. L'aria grotesque de Pacuvio *«Ombretta sdegnosa del Missipìpì, pìpì, pìpì»* – où l'on rencontre pour la première fois l'un de ces jeux sur la langue dont Rossini sera si friand – ravit le public et devient en quelques jours un refrain populaire. Sur scène, l'œuvre est servie par les meilleurs interprètes du moment. Clarice est chantée par Marietta Marcolini, superbe contralto, et Asdrubale est joué par Filippo Galli, qui est sans aucun doute la plus grande basse que Rossini rencontrera dans sa vie.

Stimulée par de tels chanteurs, l'inspiration du compositeur s'est enflammée. Stendhal vit en cette

Filippo Galli (page de gauche, en bas) et Maria Marcolini (ci-dessus), protagonistes de *La Pietra del paragone,* avaient aidé Rossini à obtenir un contrat avec la Scala (ci-contre, lors d'une fête). Ils furent sans doute les meilleurs interprètes de la «période septentrionale» de Rossini. A cause de ces chanteurs, les opéras de cette période privilégient les voix graves. Il est amusant de noter qu'à Naples, les meilleurs chanteurs de Rossini seront des voix aiguës (soprano et ténor), et qu'il composera alors pour des tessitures plus élevées. Ceci montre bien qu'il n'existait pas encore, dans les années 1810, de correspondance étroite entre un type de rôle et une tessiture.

Demeure patricienne, la villégiature du comte Asdrubale, le protagoniste de *La Pietra del paragone,* est située dans les alentours de Viterbe. Le rideau s'ouvre sur une vue du jardin (ci-dessous). La cour intérieure (ci-contre) apparaît quelques scènes plus tard.

partition le chef-d'œuvre bouffe de Rossini, ce qui ne peut manquer de surprendre, s'agissant d'une œuvre complètement tombée dans l'oubli. Et pourtant, Stendhal avait vu juste. *La Pietra del paragone* marque la révélation explosive du génie rossinien. Génie à l'état pur : rien n'y est laborieux. L'opéra est entièrement placé sous le signe de cette prodigieuse légèreté – «sans rien qui pèse ou qui pose» – que Rossini partage avec Mozart et Cimarosa. Mais cette fois, aucune réminiscence des deux compositeurs : la musique est purement rossinienne. L'orchestre déborde d'énergie, mène la partition de bout en bout, et culmine dans les pages instrumentales somptueuses de l'acte II, la scène de chasse et la tempête (si réussie

qu'elle sera reprise dans *Le Barbier de Séville*). Les voix apparaissent autant dans des arias de soliste que dans les ensembles exigés par le genre de l'*opera buffa*. D'un type nouveau, ces ensembles présentent une clarté remarquable : Rossini généralise l'emploi du canon, où les voix entrent tour à tour sur la même mélodie, permettant à l'auditeur de suivre attentivement le discours et de jouir progressivement de l'enrichissement sonore. Construit sur ce modèle, le finale de l'acte II couronne l'œuvre de façon éblouissante.

Rossini a vingt ans ; ce triomphe à la Scala le dispense du service militaire. Une carrière fulgurante vient de commencer : bientôt vont s'ouvrir à lui les portes du plus grand théâtre d'Italie, le San Carlo de Naples.

LA PIETRA DEL PARAGONE

MELODRAMMA GIOCOSO

IN DUE ATTI

DEL SIG. LUIGI ROMANELLI

DA RAPPRESENTARSI

NEL R.° TEATRO ALLA SCALA

PER LA SECONDA DELL'AUTUNNO 1812.

MILANO

Dalla Società Tipografica de' Classici Italiani
Contrada del Cappuccio.

L'argument de *La Pietra del paragone* offre quelques similitudes avec celui de *Così fan tutte*, en particulier le thème de l'épreuve affective et celui du travestissement oriental. Le comte Asdrubale vit aux alentours de Rome, entouré de belles femmes, d'amis... et de parasites. Voulant savoir si ses amis l'aiment pour lui-même, il les met à l'épreuve (la «pierre de touche»). Il s'éclipse, et les laisse seuls recevoir un Turc (qui n'est autre, bien sûr, qu'Asdrubale déguisé), venu saisir les biens du comte. A la découverte de ce revirement de fortune, les faux amis s'enfuient, mais les vrais restent, comme la marquise Clarice qui se révèle prête à tous les sacrifices pour aider son ami dans la disgrâce. Assuré de l'amour véritable de Clarice, Asdrubale l'épouse, au grand désespoir de ses rivales.

En 1813, à la Fenice de Venise, Rossini reçoit une consécration définitive avec *Tancredi*. Dix ans plus tard, il reviendra à ce même théâtre pour y écrire *Semiramide*. Ces opéras, tous deux inspirés de Voltaire, constituent l'alpha et l'oméga de la carrière italienne de Rossini. A Naples, où il prend la direction des théâtres royaux, Rossini se consacre exclusivement à la tragédie.

CHAPITRE II
DE «TANCREDI» À «SEMIRAMIDE»

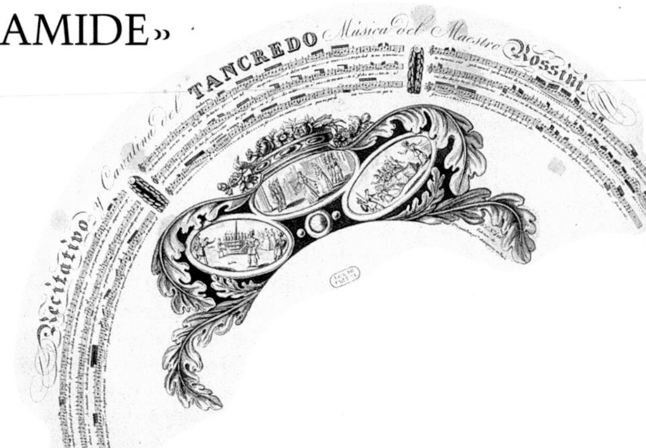

« A tous les cœurs bien nés que la patrie est chère ! Qu'avec ravissement je revois ce séjour ! »
Voltaire, *Tancrède*, 1760

«Oh, mon épouse... ce cœur... te quitte... adieu.» Blessé au combat, le chevalier Tancrède expire dans les bras d'Aménaïde. Les forces du héros s'en vont; il ne peut plus dire que quelques bribes de phrases, à peine soutenues par le tremblement des cordes. Alors que la musique se dissout dans le silence, le rideau tombe sous les yeux du public ébahi : à l'inverse des usages de l'époque, l'opéra s'achève de façon tragique!

«Tancredi», ou l'héroïsme néo-classique

Ceci a lieu à Ferrare, le 30 mars 1813. L'audace de Rossini est grande. Elle enfreint l'une des règles les plus anciennes du théâtre lyrique italien, remontant à la *Poétique* d'Aristote : tout spectacle, même tragique, doit finir par un dénouement heureux, le *lieto fine*. Pour une première version de *Tancredi*, créée à Venise le 6 février, Rossini s'en était d'ailleurs tenu à cette tradition : victorieux de leurs épreuves et enfin réunis, Tancrède et Aménaïde chantaient leur félicité. Devant l'incompréhension du public de Ferrare, Rossini réalise que le temps n'est pas encore venu pour ce genre de réforme. Il préférera rétablir le lieto fine original pour les prochaines reprises de l'opéra.

Oublions le problème du finale. *Tancredi*, le premier grand *opera seria* de Rossini, est tout à fait représentatif de son époque. L'argument, tiré de la tragédie homonyme de Voltaire datant de 1760, célèbre les vertus du chevalier normand Tancrède à l'époque de la première croisade. On reconnaît dans le choix d'une tragédie française et d'un héros guerrier l'esthétique néo-classique qui se développe en Italie à la suite des guerres napoléoniennes. Tancrède n'est autre qu'un soldat de Bonaparte, symbole de gloire, d'aventure, de justice et de liberté, transposé dans la Sicile du XIe siècle. Ce qui

Rossini (ci-dessus), n'a que vingt et un ans lorsqu'il offre au public de Venise son premier grand *opera seria*. Après les représentations de Ferrare (ci-contre, vue de la ville), le finale tragique de *Tancredi* fut abandonné et égaré. On finit par le retrouver dans les années 1970, parmi les archives des héritiers du comte Luigi Lechi, qui avait été l'amant d'Adelaide Malanotte, le *musico* qui avait créé le rôle de Tancredi. Ce fut l'une des plus importantes découvertes de la renaissance rossinienne. C'est Philip Gossett, aujourd'hui le plus grand spécialiste de Rossini, qui identifia ce manuscrit. Page de gauche, portrait en costume de Fanny Persiani (en bas) dans le rôle d'Aménaïde, et de Giuditta Pasta (en haut) dans celui de Tancrède.

peut nous étonner aujourd'hui, c'est que le rôle du protagoniste soit confié à un *musico*, contralto travesti. Mais un tel choix s'explique facilement : au XVIIIe siècle, les premiers rôles d'opera seria étaient tenus par des castrats, chanteurs d'une incomparable virtuosité vocale. Leur gloire commençant à décliner au début du XIXe siècle, ils furent remplacés par des femmes.

Bien que le succès de *Tancredi* n'ait pas été immédiat, l'œuvre deviendra l'une des plus populaires de Rossini, et sera la première à faire le tour du monde. L'un des numéros de cet opéra, en particulier, sera fredonné pendant des décennies. Il s'agit de la *cabalette* de l'air d'entrée de Tancrède, «*Di tanti palpiti*», air d'amour d'une miraculeuse simplicité. Il sera même parodié par Wagner dans l'acte III des *Maîtres chanteurs de Nuremberg* – c'est dire sa notoriété!

Le nom de Domenico Barbaja (à gauche) reste associé à celui de Rossini. Originaire de Milan, il fit fortune en introduisant les tables de jeu dans les théâtres de Lombardie, avant de devenir, en 1809, l'imprésario du San Carlo de Naples.
A cet excellent sens des affaires, Barbaja ajoutait un remarquable flair dans le domaine politique. Après s'être enrichi sous Napoléon, il devint un loyal serviteur des Bourbons. Il fit également débuter Donizetti (ci-dessous).

Naples sous la restauration des Bourbons

Impresario, terme italien qui signifie «entrepreneur», était le nom donné aux directeurs de théâtre. De toute l'histoire de l'opéra, il ne fut pas d'imprésario plus «entreprenant» que le fameux Domenico Barbaja. L'habileté de Barbaja dans le domaine artistique est presque machiavélique : il sait dénicher les jeunes talents encore peu connus qu'il s'attache par contrat pour des sommes dérisoires. Donizetti, Bellini et Carl Maria von Weber lui devront beaucoup à leurs débuts.

L'association de Rossini et de Barbaja à la tête des théâtres royaux de

Naples va déboucher sur un nouvel âge d'or. Certes, Rossini est assez peu payé. Mais il est assuré d'une position fixe et prestigieuse qu'il gardera pendant huit ans, celle de compositeur officiel de la Cour, dans le théâtre le plus réputé d'Italie. Ses conditions de travail sont les meilleures qu'il puisse souhaiter. Il n'est tenu d'écrire que deux opéras par an, lui qui avait dû en produire jusqu'à six dans ses débuts. Pour composer, il peut compter sur l'un des meilleurs orchestres, les meilleurs chanteurs du moment, et la plus grande salle de théâtre de la péninsule. Bien sûr, tous ces avantages s'accompagnent de quelques

Le théâtre San Carlo est un véritable symbole du règne des Bourbons à Naples. Ils le firent construire en 1737, lorsqu'ils montèrent sur le trône. Détruit par un incendie en 1816, il fut entièrement reconstruit en moins d'un an grâce à Barbaja.

contraintes. Les événements de la vie de la Cour sont célébrés par des fêtes pour lesquelles Rossini doit composer des œuvres de circonstance. Restauration triomphale, mais dérisoire, de l'ordre de l'Ancien Régime ! Sa Majesté le roi Ferdinand Ier a été malade ? On fêtera sa guérison avec la cantate *Omaggio umiliato* (*Hommage humble,* 1819) ! La princesse Caroline, fille du roi, épouse le duc de Berry ? *Le Nozze di Teti e di Peleo* (*Les Noces de Thétis et de Pélée*, 1816) célèbrera leur mariage. Aux obligations royales s'ajoutent les commandes religieuses. A l'occasion de la fête des Sept Douleurs de la Vierge, pour laquelle Pergolèse avait composé son légendaire *Stabat mater*, Rossini écrit, sur commande d'une congrégation religieuse, sa jubilante *Messa di gloria* (1820), dont l'irrésistible sensualité scandalisa les critiques allemands.

Rossini, fils adoptif des Napolitains

Lorsqu'il arrive à Naples au cours de l'automne 1815, Rossini, musicien venant d'«Italie» – c'est-à-dire du Nord, dans le langage des Napolitains favorables aux Bourbons ! – n'est pas accueilli à bras ouverts. Antonio Zingarelli, le directeur du conservatoire San Sebastiano, lance contre lui une campagne de dénigrement. Ce compositeur d'opéras dans la «vieille manière napolitaine» pressent bien le danger que représente un jeune maître de vingt-trois ans, qui exerce sur le public une fascination sans précédent. Pour Zingarelli et la vieille école, l'heure de la fin semble sonner. De son côté, Rossini aborde le public napolitain, sans doute le plus averti de la péninsule, avec la plus grande prudence. Il sait très bien qu'il joue toute sa carrière sur le premier opéra qu'il lui présentera, et il s'inquiète d'autant plus que ses deux derniers *opere serie* ont été des échecs.

Comment gagner ce pari difficile ? En faisant du neuf avec du vieux ! Rossini reprend quelques fragments parmi les meilleurs de ses opéras précédents, inconnus des Napolitains, et ayant déjà fait leurs preuves. Mais il les adapte à la dernière mode napolitaine. Plus de *recitativo secco*, récitatif accompagné au clavecin, datant du début du XVIIe siècle ! Les récitatifs sont désormais confiés à l'orchestre tout entier, et reposent sur une écriture musicale beaucoup plus élaborée. Il abandonne également ces airs simples

Barbaja possédait un palais dans la via Toledo (ci-dessous), en plein cœur de la Naples baroque. A droite se trouve l'église San Ferdinando où fut créée la *Messa di gloria* de Rossini en 1820. Le théâtre San Carlo est situé non loin, mais ne figure pas ici. Il faut l'imaginer un peu plus à droite. A son arrivée dans la ville, Rossini dut affronter la malveillance du compositeur Zingarelli (page de gauche, en haut).

et divertissants, attribués aux personnages secondaires, et désignés sous le nom d'*arie di sorbetto* (airs de sorbet), qui permettent au public de faire une pause entre deux moments importants du drame. Contrairement au public d'Italie du Nord, le public napolitain vient au théâtre pour suivre attentivement un opéra, en connaisseur, et non pour discuter, jouer aux cartes ou encore déguster des glaces dans les loges. *Elisabetta, regina d'Inghilterra* (*Elisabeth, reine d'Angleterre*), racontant l'amour malheureux d'Elisabeth Ire pour le comte de Leicester, est créée le 4 octobre 1815. Et le pari est remporté : c'est un triomphe.

L'Angleterre est à la mode, par sa littérature, mais aussi par son histoire. Avec *Elisabetta*, Rossini (à gauche) signe le premier opéra consacré à une reine d'Angleterre (ci-dessous, interprétée par Isabella Colbran). Il sera suivi par des œuvres de Donizetti telles que *Anna Bolena* (1830), *Maria Stuarda* (1835) ou *Roberto Devereux* (1837).

L'influence anglaise ou les prémices du romantisme

Rossini restera à Naples pendant huit ans. De 1815 à 1822, il s'adonne exclusivement à l'opera seria, alors que Barbaja lui laisse entière liberté dans le choix de ses livrets. Ce genre noble avait relativement peu évolué au cours du XVIIIe siècle. Attaché historiquement aux théâtres de cour, il symbolisait la continuité d'une tradition musicale, qui reflétait la stabilité d'un ordre politique. En témoignent certains livrets de Métastase, comme *Artaserse* (*Artaxerxès*), qui furent mis en musique par différents compositeurs tout au long du siècle jusqu'à trente fois de suite ! Mais l'Ancien Régime vit ses derniers jours sous la Restauration. Le sens de l'histoire l'emporte, et le genre de

Ermione, en deux actes, d'après la tragédie *Andromaque* de Racine, fut créée le 27 mars 1819. Cas à peu près unique dans la carrière de Rossini, l'opéra ne fut jamais repris. Le public napolitain fut désorienté par la «grande scène d'Hermione» de l'acte II, vaste fresque musico-dramatique continue, où l'unité traditionnelle du *pezzo chiuso* (numéro fermé) est considérablement dilatée. Comme le finale tragique de *Tancredi*, cette tentative novatrice fut trop moderne pour l'époque, mais pas encore assez achevée pour avoir raison des réticences du public. Rossini n'essaya pas d'adapter cette œuvre pour la scène française, probablement en raison de la célébrité de la tragédie de Racine. Il la réutilisa en revanche dans ses ébauches pour *Ugo, re d'Italia*, opéra incomplet prévu pour Londres. La page ci-contre montre la superposition d'un nouveau texte en rouge sur le texte original. C'est ce qu'on appelle un *contrafactum*.

REAL TEATRO
LUNEDI' 13. Maggio 1822.
SI RAPPRESENTA IL DRAM
OTEL
IL MORO DI V

l'opera seria devient avec Rossini perméable aux nouveaux courants esthétiques. Bien qu'*Elisabetta* appartienne musicalement à une période précédente, le choix d'un sujet tiré de l'histoire anglaise est révélateur d'une nouvelle tendance. Depuis la bataille de Waterloo (18 juin 1815), les Anglais sont les héros. La mode est maintenant à la culture et à la littérature britanniques.

Adieu aux canons aristotéliciens du classicisme italien. L'Italie découvre, avec Shakespeare, les violences baroques du théâtre élisabéthain. En 1816, Rossini compose *Otello*, le premier grand opéra italien tiré de Shakespeare. Certes, il est bien difficile de retrouver dans le livret du marquis Berio di Salsa le sombre drame de la jalousie. Lord Byron, qui verra l'œuvre à Venise en 1819, sera scandalisé par cette adaptation : «Ils ont crucifié *Othello* en un opéra!» Les deux premiers actes sont encore imprégnés du style héroïque de l'opéra néo-classique. Rossini y dépeint avant tout l'univers militaire de la tragédie, au travers d'une musique éclatante, abondant en fanfares et en étourdissants solos d'instruments à vent.

Le livret du marquis Berio di Salsa ne puise pas directement dans la tragédie de Shakespeare, mais dans sa traduction française par Ducis, datant de 1792. Dans cette adaptation, Othello n'est pas présenté sous les traits d'un Maure, mais simplement comme un homme bronzé venant du Sud. Ceci rappelle curieusement Bonaparte, pour ne pas le nommer…

S. CARLO
ta 10.
LO
NEZIA

Certaines innovations remarquables s'y trouvent pourtant, comme lors de l'entrée en scène de Desdémone. Pour mieux exprimer l'affliction qui consume le personnage, Rossini renonce au traditionnel air d'entrée, la *cavatine*, et préfère présenter Desdémone par un duo mélancolique avec sa confidente. Ceci est une nouvelle audace. Mais à l'acte III, le compositeur se montre cette fois révolutionnaire. Il n'est naturellement plus question d'un dénouement heureux.
La mort de Desdémone, puis le suicide d'Othello, sont longuement préparés au cours de cet acte d'une remarquable unité de ton.

A l'opposé d'*Ermione*, *Otello* ne quitta jamais le répertoire du vivant de Rossini. Pour les chanteuses du début du XIXe siècle, Desdémone représentait le rôle de la consécration. Ne se contentant pas du finale II, morceau de bravoure avec chœur et *pertichini*, elles n'hésitaient pas à introduire à l'acte I une cavatine. C'est ainsi que «*Mura felici*», cavatine de Malcolm dans *La Donna del lago* devenait, transposé dans le mode mineur, «*Mura infelici*» !
A cause de la célébrité de cet ouvrage, Verdi préféra attendre la fin de sa vie pour oser mettre en musique lui-même *Othello*.

Adieu également aux lieux amènes de l'Arcadie, décors bucoliques des opéras du XVIIIe siècle. Les montagnes et lacs embrumés des Highlands envahissent la scène de *La Donna del lago* (*La Dame du lac*, 1819). Avant Mendelssohn et Schubert, Rossini se tourne vers l'Ecosse. Maints passages, comme dans *Otello*, sont encore attachés à la tradition, mais celle-ci se transforme, sous l'influence de la ballade de Walter Scott dont s'inspire l'opéra. L'héroïsme guerrier néo-classique, symbolisé par un héros unique, fait place à l'épopée patriotique, incarnée par le chœur. Dans le finale de l'acte I, les guerriers highlanders et les bardes écossais mêlent leurs voix dans le combat qui les unit contre le roi Jacques V d'Angleterre. Enfin, c'est surtout par son *introduzione* (le premier numéro) que se distingue cet opéra. Au lieu du vaste ensemble conventionnel, assez agité, destiné à lancer l'action, Rossini place ici une page pittoresque évoquant musicalement la

En 1760, James MacPherson publia les *Poèmes d'Ossian*, recueil de poésies d'un barde du IIIe siècle, transcrites du gaélique. En réalité, Ossian n'a jamais existé, et fut l'une des plus grandes mystifications littéraires. Toujours est-il que MacPherson déclencha la vogue de l'«épopée ossianique», qui fut, avec le théâtre de Shakespeare, déterminante pour le pré-romantisme. Le compositeur français Lesueur fut le premier à s'inspirer de la mode écossaise dans son opéra *Ossian, ou les Bardes* (1804).

La Donna del lago (costume en haut à gauche) s'achève sur un *rondò «Tanti affetti»*, dont la *cabalette* consiste en une série de variations virtuoses (voir ci-dessus). Ce rondò fut repris entre autre pour la version vénitienne de *Maometto II* (1823).

nature sauvage décrite par le texte de Scott. Probablement en raison de la ressemblance topographique entre les montagnes d'Ecosse et de Suisse, cette page admirable annonce le premier acte de *Guillaume Tell*, que Rossini écrira dix ans plus tard. Et c'est à cause de cette même page que *La Donna del lago* est considérée comme le premier opéra romantique italien !

« Tu n'es donc plus,
noble fils des batailles,
Orgueil des tiens,
terreur de tes rivaux !
Qui redira
le chant des funérailles
Sur le cercueil
où descend un héros?
Du ménestrel
la harpe te fut chère.
Tu fus l'appui
de Douglas malheureux.
Triste témoin
de ton heure dernière,
Je gémirai
sur ton clan
belliqueux. »

Walter Scott, chant funèbre de Roderic, *La Dame du lac*, livre VI

Goût allemand ou goût français ?

Armida (*Armide*) est créée le 11 novembre 1817, dans une mise en scène fastueuse. Pourtant le public du San Carlo reste froid, et la critique se déchaîne. Rossini, «né avec l'esprit de Cimarosa et de Paisiello», est accusé de «réprimer les impulsions de sa propre nature pour adopter le style barbare». En un mot, il se met à faire de la musique allemande ! Dès lors le public napolitain se scinde en deux clans, les «rossiniens» et les «antirossiniens». Les uns suivent le compositeur pas à pas dans ses innovations ; pour les autres, Rossini reste le compositeur d'*Elisabetta*, où triomphe la mélodie italienne. Qu'entend exactement la critique par «influence allemande» ? Avant tout un orchestre plus étoffé – sacrilège au pays du *bel canto* ! Rossini avait déjà essuyé de pareilles critiques dès son premier opéra, *La Cambiale di matrimonio*, mais à présent, il persiste et signe : son modèle d'écriture orchestrale est toujours Haydn, dont il dirigera en 1821 *La Création*, l'une de ses œuvres favorites. Ensuite, un plus grand

souci de l'harmonie, une recherche de modulations audacieuses. *Mosè in Egitto* (*Moïse en Egypte*, 1818), l'un de ses plus grands succès, débute par une fameuse «scène des ténèbres» dont l'écriture rappelle les chorals variés de J.-S. Bach. Rossini est bien resté dans l'âme le Tedeschino qu'il était dans sa jeunesse !

Cependant, cette focalisation sur le style allemand empêche la critique de déceler la véritable ligne d'évolution de Rossini. Car, dès la période napolitaine, c'est vers la conception française du théâtre lyrique qu'il s'oriente. Par leur architecture globale du drame, les Français (au rang desquels il faut compter Cherubini et Spontini) semblent «en avance» sur les Italiens, encore prisonniers du système de l'opéra «à numéros» qui nuit autant à la continuité de l'action qu'à l'unité stylistique. En février 1820, Rossini fait représenter au San Carlo *Fernand Cortez ou*

Mosè in Egitto s'inscrit dans la tradition des «opéras bibliques», les seuls à pouvoir être représentés pendant le carême. Pourtant, le drame historique de la captivité des Hébreux prend ici les dimensions du futur «grand-opéra» français. Il n'est guère étonnant que l'opéra ait été repris à Paris en 1827. Les décors de Caron (ci-dessus) furent réalisés pour la version parisienne.

La prière *«Dal tuo stellato soglio»* ne figurait pas à la création de *Mosè*. Elle fut ajoutée à la reprise de 1819 pour permettre aux machinistes de préparer le changement de décors du passage de la mer Rouge... et pour couvrir le bruit que cela occasionnait.

la conquête du Mexique de Spontini, composé pour Napoléon en 1809. L'accueil est plutôt froid : le style déclamatoire français déroute le public italien. Malgré cela, Rossini crée, le 3 décembre de cette même année, *Maometto II* (*Mahomet II*), dans lequel on relève, par la noblesse du geste vocal, par la grandeur du cadre scénique, l'influence directe de l'opéra spontinien. Echo, sans doute, des troubles de l'insurrection des carbonari (juillet 1820),

Malgré les défauts acoustiques qu'entraînait la présence des loges dans les théâtres lyriques – imperfection connue à l'époque –, la Fenice (ci-dessus) fut conçue sur ce modèle, reflet d'une habitude établie.

la fièvre guerrière domine cet ouvrage et lui confère une *tinta* (teinte) particulière, comme Verdi la concevra dans quelques années. L'ouvrage n'obtient qu'un faible succès. Il est clair qu'au travers des innovations faites à Naples, Rossini se prépare déjà à sa future carrière parisienne.

«Semiramide», ou la violence de Babylone

Dix ans, pratiquement jour pour jour, après *Tancredi*, La Fenice de Venise présente *Semiramide*. Auréolé de gloire, le plus grand compositeur italien revient dans le théâtre qui a lancé sa carrière. Est-ce un symbole ? Il choisit à nouveau une œuvre de Voltaire et clôt effectivement son cycle de tragédies.

L'action nous plonge dans l'Antiquité assyrienne. Sémiramis, reine de Babylone, a tué autrefois son époux, le roi Ninus, avec la complicité de son amant Assur, pour s'emparer du trône.

Inauguré en 1792, le théâtre de la Fenice (à gauche) assit sa réputation en présentant les opéras voltairiens de Rossini, *Tancredi* et *Semiramide*, puis ceux de Donizetti et de Bellini. Ci-dessous, une vue du Grand Canal en hiver, avec, en premier plan, l'église de la Salute.

Son fils Ninias, qu'elle croit mort, a été sauvé et élevé loin de Babylone. Déchaînant la fureur d'Assur, Sémiramis s'apprête à épouser le jeune général assyrien Arzace, lorsqu'elle apprend qu'il n'est autre que son propre fils. Voulant venger son père, Arzace tue Sémiramis, et Assur sombre dans la folie.

Dans sa version originale, l'opéra dure quatre heures, sans compter l'entracte ! Longueur inhabituelle pour les théâtres italiens, et signe, chez Rossini, d'un soin particulier. *Semiramide* représente, du point de vue formel, l'aboutissement des expérimentations musico-dramatiques conduites à Naples, en particulier celles apparues dans *Maometto II* : fresque historique avec de grandes scènes rituelles où le chœur prédomine, numéros musicaux considérablement élargis et reliés entre eux par des renvois thématiques.

Toutefois, autant par la distribution des rôles que par l'écriture vocale, *Semiramide* semble opérer un retour en arrière, vers *Tancredi*. Le premier personnage masculin, Arzace, est, comme Tancrède, confié à un musico. Le rôle de la reine d'Assyrie est écrit pour Isabella Colbran, la *prima donna* du San Carlo, jadis maîtresse de Barbaja. C'est son dernier grand rôle, car sa voix commence à décliner. Serait-ce aussi un cadeau d'adieu pour celle à qui Rossini confia tous ses grands rôles féminins à Naples, et qu'il vient d'épouser il y a un an ? Le rôle de Sémiramis est l'un des plus impressionnants de Rossini. Rarement l'écriture vocale aura été aussi soignée et luxuriante. La fraîcheur et l'ingénuité de *Tancredi* font place aux ors flamboyants d'un bel canto crépusculaire.

L'esthétique rossinienne : l'éloquence de la scène

Isabella Colbran, Giovanni David, Andrea Nozzari. Trois chanteurs d'exception, à la fois tragédiens et virtuoses. Un soprano dramatique *coloratura*, voix puissante et légère dans les ornements ; deux ténors, l'un extrêmement aigu (David), culminant au-delà du *contre-ut*, et l'autre plus grave, mais tous deux également agiles. Comme des filigranes, leurs personnalités traversent tous les opéras napolitains de Rossini, dont ils créèrent les premiers rôles. Si ces opéras explorent des directions différentes, et tracent, de 1815 à 1822, un arc d'évolution considérable, ils ont au moins un point commun : le style vocal.

La figure légendaire de Sémiramis, reine de Babylone, inspira de nombreux compositeurs au XVIIIe siècle. Etait-ce parce que cette reine avait fait construire les fameux jardins suspendus, une des Sept Merveilles du monde, ou bien parce qu'elle avait fait tuer son époux pour monter sur le trône ? Le rôle de Sémiramis dut fasciner les interprètes. Héritière des figures de tragédie comme Athalie ou Electre, elle préfigure aussi les héroïnes sanglantes du romantisme, comme Lady Macbeth ou Turandot. Isabella Colbran (ci-dessus) termina sa carrière avec ce rôle. Les sœurs Marchisio (ci-contre) se rendirent célèbres dans cet opéra (décors en haut à gauche), grâce aux deux duos entre Arsace et Sémiramis, dont elles publièrent leurs ornementations.

ho congiunto in matrim
di Trento il Sig.r Gioacchin
figlio del vivente Sig.r Gi
Bologna e della Sig.a Anna Guidari
di S.
colla Sig.ra Isabella Colb
figlia del fu Sig.r Giovan

Isabella Colbran, que Rossini épouse en 1822, est le parangon de la prima donna du début du XIXe siècle. Par son professeur, Crescentini, l'un des derniers grands castrats, elle est l'héritière de la tradition du bel canto napolitain du XVIIIe siècle. Son chant offre les derniers étincellements de cette école, et l'inclination que Rossini eut à son égard n'est pas étrangère à l'écriture vocale luxuriante qu'il adopta dans ses opéras composés à Naples. Ce chant fleuri est une donnée première du théâtre de Rossini. Il est étonnant de relever à quel point ce type de chant s'accorde à merveille avec l'action scénique. L'art oratoire connut à la fin du XVIIIe siècle et au début du XIXe siècle un formidable renouveau. Que ce soit de la tribune pour les protagonistes de la Révolution, ou de la chaire pour les prédicateurs, les orateurs déversaient leurs volutes enflammées. A cette époque, Rossini fut le plus grand rhéteur du théâtre lyrique. La splendeur du chant rossinien n'a d'autre sens que d'apostropher le public pour le subjuguer. L'art de convaincre par la parole devient l'art de séduire par le chant. Les divers ornements – trilles, diminutions, arpèges, *volate* (roulades), *portamenti*, sont autant de figures de rhétorique, lointaines héritières de la théorie des Passions. De même, dans la structure de ses arias, Rossini est

La relation entre Isabella Colbran et Gioachino Rossini dut commencer certainement bien avant leur mariage. Un peu malgré lui, Rossini épousa la Colbran pour «régulariser» sa situation et faire plaisir à sa mère.

secondo il prescritto dal Concilio

Isabella Colbran était, aux dires de ses contemporains, une beauté assez ordinaire dans la vie quotidienne. Mais sur scène, elle imposait le respect par ses talents de tragédienne. Le jeu scénique d'alors comportait tout un répertoire de postures (*actio*), auquel faisait pendant un arsenal de figures imposées du chant (*elocutio*) : trilles, mordants, *portamenti, messe di voce* (sons filés), *sbalzi* (grands sauts d'intervalles) et *volate* (roulades), dont le public, connaisseur, attendait une exécution impeccable. Enfin, cette conception rhétorique du chant allait jusqu'à la construction de l'air, selon les règles classiques de la *dispositio* (exorde, discours avec gradation, péroraison).

inégalable par son sens de l'exorde et de la péroraison. Exorde : dès les premiers accords de ses grandes arias, Rossini impose un climat de grandeur qui suscite le respect. Péroraison : les arias s'achèvent sur un éblouissant feu d'artifice vocal, la cabalette, où les figures de virtuosité de la voix jointes à la puissance d'un orchestre captivant appellent irrésistiblement un tonnerre d'applaudissements.

Duetto
Ai capricci della sorte
del
Maestro
Gioach. Rossin
Mil. presso Gio. R
Milano, presso l'incisore Stucchi.

Pendant toute la période napolitaine, Barbaja a laissé à Rossini l'entière liberté d'écrire pour d'autres villes. Avec une très grande habileté, le compositeur a su tirer profit de cette occasion pour diversifier sa production. C'est pour un public très différent, à Rome et à Milan, qu'il va écrire, en des temps records, ses chefs-d'œuvre comiques.

CHAPITRE III
LES GRANDES COMÉDIES

Chez Rossini, la *vis comica* (verve comique) est exaltée jusqu'à la mécanisation du procédé. Il en résulte des mouvements tournoyants que Stendhal qualifiait de folie organisée. Cette musique, éclaircie miraculeuse entre la tempête de l'opéra baroque et les orages du drame romantique, n'avait jamais eu et n'aura jamais plus d'équivalent. Ci-contre, Carlo Zucchelli, l'une des plus grandes basses de l'époque, en costume de Figaro.

Par le minaret et le navire, le décor ci-dessus illustre l'«enlèvement au sérail». Ce thème, probablement inspiré de la légende de Roxelane, épouse de Soliman le Magnifique, inspira au XVIIIe siècle une multitude d'«opéras turcs». Avant celle de Rossini, l'œuvre la plus connue fut *Die Entführung aus dem Serail* de Mozart (1782).

Deux mois après le succès de *Tancredi*, Rossini se voit proposer un opera buffa pour le théâtre San Benedetto de Venise. Le sujet n'est pas nouveau. Le livret remis à Rossini a déjà été mis en musique par Luigi Mosca en 1808, et reprend une des histoires sans âge du théâtre italien : un prince ottoman retient à sa cour une jeune Italienne dont il est épris, mais celle-ci parviendra à «s'échapper du sérail» avec l'aide de son fiancé.

«L'Italiana in Algeri», une partition exubérante pour un livret périlleux

Rude épreuve pour Rossini : comment réussir à mettre en musique un sujet que tant d'autres

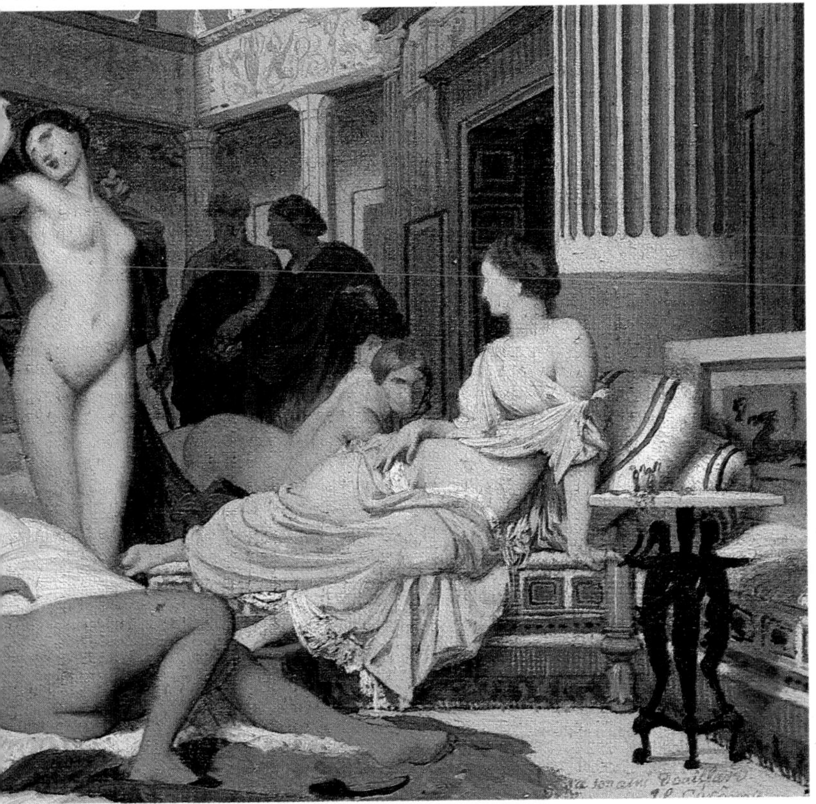

compositeurs, dont l'illustre Mozart, ont déjà traité ? Après le succès de *Tancredi*, le public vénitien attend impatiemment de voir les mérites de Rossini dans le genre de l'opera buffa.

Le sujet est ancien ? Il y faut une musique d'un style nouveau. Rossini n'hésite pas à faire ce qu'aucun de ses prédécesseurs n'avait osé avant lui : doter l'opera buffa d'une virtuosité vocale jusque-là réservée au seul opera seria. Dans son aria finale, l'Italienne Isabella arme de courage ses compatriotes, avec lesquels elle s'enfuit d'Alger. La noblesse de son chant et de ses propos sont étonnants dans une comédie : ils sont directement empruntés à l'univers de la tragédie, et confèrent à l'héroïne un profil

L'exotisme était un prétexte à des digressions symboliques, voire ésotériques. Rien de tel chez Rossini, qui traite le thème sur le mode de l'ironie. L'acte II de *L'Italiana in Algeri* est en quelque sorte le renversement de *Die Zauberflöte* de Mozart. Après l'adoubement du valet Taddeo, Mustafà est nommé «Pappataci», ce qui signifie «Bouffe et tais-toi»!

beaucoup plus marqué que celui d'une simple polissonne. Il est encore plus étonnant que cet air, «*Pensa alla patria*» («Pense à la patrie»), n'ait pas été interdit par la censure. En cette période politiquement troublée, les esprits ne sont pas longs à s'enflammer pour la cause patriotique. Mais, si l'aria fut tolérée, ce ne fut pas le cas du chœur précédent. Le texte n'a rien de subversif, mais on peut découvrir, malicieusement enfouie dans la musique, une citation cryptée de *La Marseillaise* !

Traditionnellement, la comédie n'utilise pas le même registre vocal que la tragédie. Les chanteurs y sont avant tout acteurs. Leurs lignes mélodiques sont courtes, vives, alertes, aisément compréhensibles. En poussant ces caractéristiques à l'extrême, Rossini crée une virtuosité bouffe, qui atteint une vélocité hallucinante, et dépasse de loin le rythme de la parole. En outre, Rossini se livre à plaisir au jeu sur le langage, le plus loufoque possible, et sur les onomatopées. Dans le finale de l'acte I, les personnages de la pièce perdent le sens commun. Leurs voix restituent les sonorités d'un mécanisme d'horlogerie qui s'emballe et se détraque: «din din... crà crà... bum bum... tac tac». A la fin de ce finale, nous dit Stendhal, «les spectateurs ne pouvaient plus respirer, et s'essuyaient les yeux». Rossini écrira d'autres finales éblouissants, mais celui-ci reste sans conteste le plus fou.

Rossini et Paganini, qui dirigea à Rome la première de *Matilde di Shabran*, en habits de carnaval, dans une mascarade qui évoque celle de la fin du *Turco*.

Après le double succès de *L'Italiana in Algeri* et de *Tancredi*, Rossini, invité à la Scala de Milan (ci-dessus), présenta un opera seria, *Aureliano in Palmira (Aurélien à Palmyre)* et un opera buffa, *Il Turco in Italia*. Hélas, ce furent deux échecs.

«Il Turco in Italia», une turquerie à l'envers ?

«C'est du vin de son cru» peut-on lire en français dans le *Corriere milanese*, quelques jours après la création de la nouvelle comédie de Rossini, *Il Turco in Italia* (*Le Turc en Italie*). Sans doute abusés par le titre, les Milanais sont persuadés que le maître leur a servi, à peine remaniée, la musique de *L'Italiana in Algeri*.

A l'évidence, le critique et le public n'ont pas bien écouté l'œuvre, car il n'y a en réalité aucun point commun entre les deux opéras, du moins en ce qui

Dans un opéra turc, l'étranger est un personnage effrayant. Encore une fois, Rossini renverse la tradition par l'ironie. Lorsqu'il aborde en Italie, Sélim (ci-contre) est accompagné à l'orchestre par une citation de l'apparition du Commandeur de *Don Giovanni.* Mais loin d'apparaître comme un justicier implacable, il ne tardera pas à devenir la victime de Fiorilla.

concerne la musique. Le titre laisse entendre, certes, un renversement de situation. C'est au tour du Turc, Selim, de se retrouver sur les rives italiennes, où la très légère Fiorilla essaie de lui tourner la tête. Pourtant, l'opéra offre bien plus qu'une simple turquerie à l'envers. L'un des personnages principaux, Prosdocimo, n'est autre que le poète en train d'écrire la comédie. Il y est donc à la fois auteur et acteur; de la même façon, les autres personnages tiennent le double jeu d'acteur et d'ami du poète. Un tel jeu sur la comédie n'est pas sans annoncer l'univers de Pirandello. Et surtout, *Il Turco* se présente comme une «comédie sur la comédie», une mise en abyme du fait théâtral. Son livret, véritable petit traité de librettistique, est sans doute le plus subtil que Rossini ait mis en musique.

Opera buffa contre opera seria

Depuis son installation à Naples, en 1815, Rossini peut se considérer comme «arrivé». Il n'est plus obligé, pour gagner sa vie, de faire le tour des théâtres, comme le firent ses parents et comme il le fit lui-même à ses débuts. Mais il ne cesse de recevoir des propositions pressantes de la part des villes du Nord. Sans doute grisé par le succès, Rossini accepte tout, non plus par obligation, mais par plaisir. Et il continue à sillonner les routes d'Italie. Personne ne résiste à la séduction de sa musique. Les théâtres s'y soumettent les uns après les autres. Stendhal nomme Rossini le «Napoléon de la musique» et compare ses pérégrinations à la campagne d'Italie.

Naturellement, au cours de ces séjours qui ont lieu essentiellement à Rome et à Milan, Rossini ne

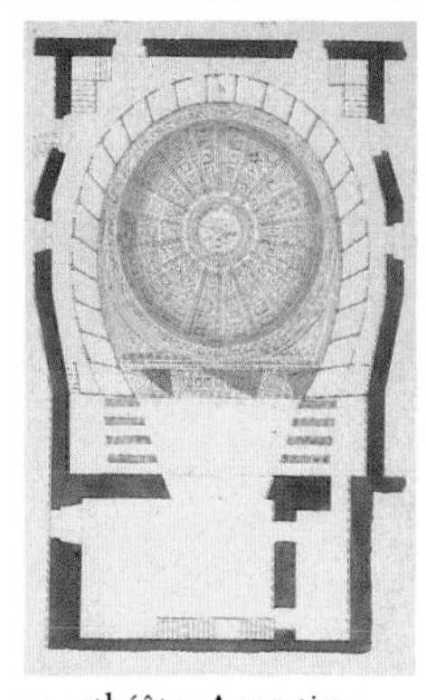

Le théâtre Argentina (ci-dessus) fut construit en 1732. Sa forme, en ellipse tronquée pour des raisons d'acoustique, est typique du théâtre dit «à l'italienne».

jouit pas des excellentes conditions de travail qu'il connaît à Naples, mais il retrouve au contraire «l'industrie théâtrale» de l'époque des farces. La première difficulté est le manque de temps. Un compositeur n'a jamais plus d'un mois pour écrire son opéra ! Mais est-ce vraiment une difficulté pour Rossini ? Doué d'une facilité d'écriture exceptionnelle et d'une prodigieuse capacité de travail, il s'en accommode aisément. Cette urgence semble même stimuler son imagination. Ses œuvres ne sont jamais bâclées, comme on l'a trop souvent sous-entendu. Il suffit d'observer les manuscrits autographes pour se convaincre du soin qu'il portait à son travail.

Seconde difficulté : le public. Rome, par exemple, est une ville moins développée que Naples sur le plan du théâtre lyrique. Les spectateurs ne brillent pas par leur discipline. Il règne même un certain chahut dans les loges. Le théâtre est un lieu de rencontres ; on y parle beaucoup.

Si Rome (ci-dessous) fut un haut lieu de l'opéra au XVIIe siècle, l'activité lyrique recula nettement au siècle suivant par rapport à Naples et à Venise. Au XIXe siècle, Rome redevint une ville de premier plan dans le domaine musical, grâce à la musique religieuse. C'est autour de l'abbé Baini (1775-1844), camerlingue de la chapelle Sixtine, que s'opéra le grand retour à Palestrina et que naquit le mouvement «cécilianiste».

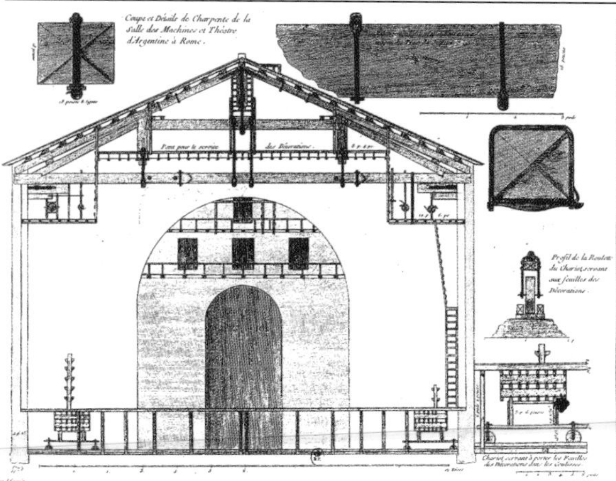

Impensable dans ces conditions de se passer de l'ouverture, comme Rossini peut le faire à Naples. L'ouverture est requise à Rome pour sa fonction première : faire taire le public et annoncer la représentation. De même, certaines traditions du XVIIIe siècle, jugées éculées à Naples, y ont encore cours. Le récitatif, peu élaboré musicalement, est toujours accompagné au clavecin, et les personnages secondaires ont droit à leur air de sorbet.

Il n'est donc guère étonnant que les opéras écrits pour Rome ou pour Milan ne ressemblent pas du tout à ceux écrits pour Naples. Pour pouvoir composer aussi vite, Rossini se fonde sur une structure de base qu'il utilise dans toutes ses comédies. C'est en quelque sorte un «modèle préfabriqué», mis au point dans *L'Italiana in Algeri*, et repris dans *Il Barbiere di Siviglia* et *La Cenerentola*, ses deux chefs-d'œuvre bouffes composés à Rome.

Le fait que le *Barbier* ait été écrit en quinze jours n'a rien d'étonnant. A Rome, les opéras étaient tous composés en des temps records. La qualité d'écriture de l'œuvre tient en revanche du miracle.

Le fiasco du «Barbiere di Siviglia»

Que se passa-t-il vraiment au théâtre Argentina de Rome le 20 février 1816, soir de la première

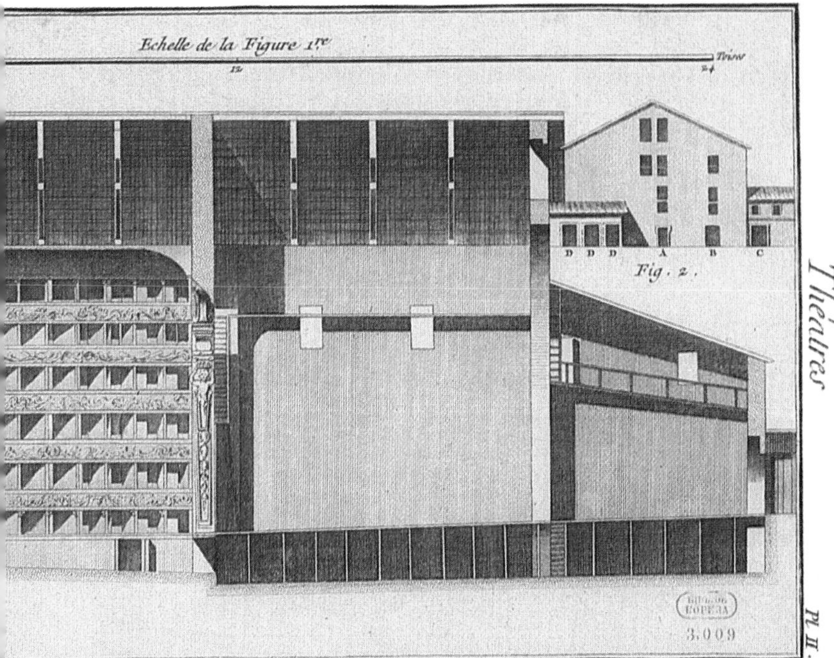

du *Barbiere di Siviglia* ? Nous ne le saurons jamais. Une chose est sûre, pourtant : un fiasco légendaire salua la création de ce chef-d'œuvre qui est l'un des plus anciens opéras entrés au répertoire.

Avant même d'avoir entendu l'œuvre, le public en avait décidé ainsi. Oser mettre en musique *Le Barbier de Séville*, quel affront pour le grand Paisiello, toujours en vie, qui avait eu l'honneur de le faire en 1782 pour la tsarine Catherine II ! En 1815, l'œuvre de Paisiello demeure très populaire, ce qui est exceptionnel à une époque où les opéras n'étaient que très rarement repris. Conscients du danger, Rossini et son librettiste Cesare Sterbini ont pris le soin de changer le titre de l'œuvre qu'il rebaptisent *Almaviva, ossia l'inutile precauzione* (*Almaviva, ou la précaution inutile*), et de publier dans le livret un *Avertissement au public*. Mais tout ceci n'est que «précaution inutile», précisément. La cabale, menée par les paisiellistes, l'emporte. Rossini, ébranlé par les

Au sujet de la création du *Barbier* au théâtre Argentina (élévation ci-dessus, et coupe de la charpente à gauche), les anecdotes abondent. Manuel García, qui jouait le comte Almaviva, aurait cassé une corde de sa guitare en chantant son aubade. Bazile se serait étalé de tout son long en entrant sur scène, et aurait chanté l'air de la calomnie avec le nez sanguinolant. Enfin, comble de malheur, un chat aurait traversé la scène et le public se serait mis à miauler !

huées du public, ne se présentera pas au théâtre pour les représentations ultérieures, et n'assistera donc pas au triomphe de la deuxième.

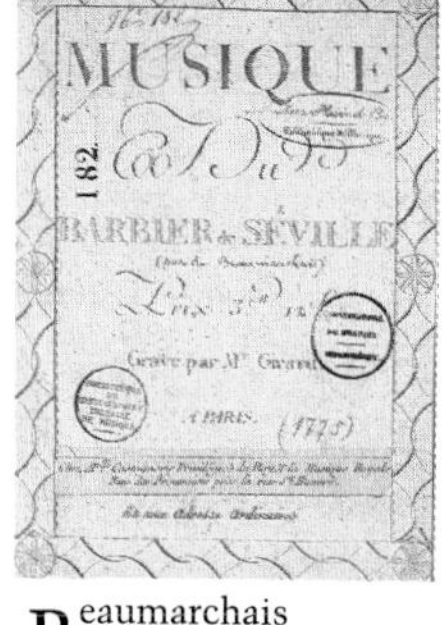

Beaumarchais (à gauche) avait écrit lui-même la musique de certains passages du *Barbier*.

Un éclair de génie

Comment expliquer un revirement aussi soudain ? Ce phénomène est assez courant à l'époque (*La Donna del lago* en passera également par là), et tient aux conditions de travail des interprètes. Harassés par le rythme soutenu des répétitions, les chanteurs étaient épuisés le soir de la première, et ne furent au meilleur de leur forme que les soirs suivants. Car les répétitions furent menées dans un climat de pression et d'urgence extrêmes. La rapidité avec laquelle Rossini dut composer cet opéra est aussi légendaire que le fiasco de la première. Selon ses biographes, le compositeur aurait mis entre huit et quatorze jours pour produire cette partition. Un vrai prodige : ceci est le temps nécessaire pour recopier la musique !

Les mauvaises langues prétendent que cet opéra fut composé à la hâte. Qu'ils jettent donc un œil sur l'autographe ! Rossini a certainement été très aidé par la nature du livret. Les personnages reprennent les plus anciens archétypes de la *commedia dell'arte*. La pièce de Beaumarchais, conçue à l'origine comme un opéra-comique, est particulièrement adaptée à la mise en musique. Toutefois, il n'y a pas de miracle. Rossini n'avait

pas assez de temps à sa disposition pour écrire une musique entièrement originale. Il fut obligé de recourir à la compilation. L'ouverture, en particulier, est empruntée à *Aureliano*, et de nombreux autres passages proviennent d'opéras mineurs.

«La Cenerentola» : Rossini et le conte merveilleux

Les autocitations n'ont rien de choquant. Au début du XIXe siècle, un opéra n'est pas destiné à rester au répertoire, encore moins à être édité en partition. Il est conçu pour une saison donnée, après laquelle, bien souvent, il quitte l'affiche pour toujours. Si, de plus, on se rappelle qu'il n'existait alors aucun système de droits d'auteur en Italie, il semble plutôt légitime que Rossini, comme ses confrères, ait ainsi voulu sauver de l'oubli les passages qui lui semblaient les meilleurs.

Un an après *Il Barbiere di Siviglia*, Rossini renouvelle à Rome cet exploit de rapidité avec *La Cenerentola*, opera buffa tiré du conte de Cendrillon.

« Levez-vous, orages désirés ! » La tempête est un moment crucial du *Barbier*. Rosine (ci-dessus) vient d'apprendre qu'elle va être enlevée par un certain comte Almaviva qu'elle ne connaît pas. Elle est dévorée par l'angoisse, et les éléments qui se déchaînent constituent un écho à son anxiété. C'est l'une des dernières scènes du théâtre lyrique à obéir aux canons de la théorie des Passions, où l'âme humaine est perçue comme le réceptacle des événements extérieurs.

La scène du procès au terme duquel Ninetta est condamnée à mort (ci-contre) est l'une des toutes premières de ce genre portées à l'opéra. Il est curieux que le lieu du tribunal, très théâtral en soi, n'ait pas été exploité plus tôt. Mozart et Da Ponte, dans leur adaptation du *Mariage de Figaro*, avaient coupé la grande scène du procès. En revanche, le XIXe siècle sera friand de ces scènes rituelles. *Henry VIII* de Saint-Saëns comporte un procès, *La Dame blanche* de Boïeldieu une vente aux enchères.

Si, dans le mélodrame, puis l'opéra, Annette/Ninetta est sauvée *in extremis*, ce ne fut pas le cas de la servante de Massy qui fut condamnée à mort. Son innocence apparut trop tard, et la commune de Massy institua une messe annuelle à sa mémoire, la Messe de la pie. *La Pie voleuse*, de Caigniez et d'Aubigny, fut représentée en 1815 au théâtre de la Porte Saint-Martin.

Le livret de Jacopo Ferretti est écrit en vingt-deux jours, la musique composée en vingt-quatre. Rossini a recours à quelques emprunts d'œuvres précédentes, mais beaucoup moins que dans *Il Barbiere di Siviglia*. Il s'adjoint en revanche le concours d'un collaborateur, Luca Agolini, à qui il confie les récitatifs et les numéros les moins importants.

L'opéra est entièrement construit autour de la personnalité d'Angelina – Cendrillon –, héroïne qui triomphe par sa vertu. Cette vision de la femme est typique de l'esthétique sentimentale et larmoyante de la fin du XVIIIe siècle, avec laquelle Rossini renoue ici. A l'opposé du *Barbiere di Siviglia*, où tous les personnages sont joueurs, *La Cenerentola* replonge dans la veine sentimentale de ses premières farces. Sans doute en raison de cet accord subtil entre le jeu et le sentiment, l'opéra remporte un succès comparable à celui de *L'Inganno felice*. Ce sera même l'un des plus grands succès du vivant de Rossini, éclipsant celui du *Barbiere*. C'est en outre sa dernière comédie. Il est âgé de vingt-cinq ans.

«La Gazza ladra», lorsque la comédie bascule dans le drame

Créée à la Scala de Milan le 31 mai 1817, et saluée par le public avec un «enthousiasme hystérique», *La Gazza ladra* (*La Pie voleuse*) n'est pas une comédie, mais un *opera semi-seria*. Ce genre est, malgré son nom, beaucoup plus proche de l'opera buffa, dont il est dérivé, que de l'opera seria. Il naît à la fin du XVIIIe siècle de la contamination de l'opera buffa par le courant sentimentaliste et larmoyant. L'argument est tiré d'un fait divers advenu à Massy sous la Révolution. L'héroïne, Ninetta, accusée d'avoir dérobé une cuiller en argent, est condamnée à mort. Elle sera sauvée *in extremis*, quand on retrouvera la cuiller dans le nid d'une pie. L'histoire, ainsi présentée, est typique de la »pièce à sauvetage».

Ninetta et Angelina sont parentes : elles sont toutes deux des héroïnes vertueuses persécutées. En ce sens, *La Gazza ladra* apparaît comme le prolongement de *La Cenerentola*, et même comme le point d'aboutissement d'une ligne de force caractéristique des comédies de Rossini, où le jeu cède pas à pas la place à l'univers sentimental si cher au public. Il ne faudrait pas pour autant y voir un retour à l'esthétique de la fin du XVIIIe siècle. A plusieurs titres, *La Gazza ladra* annonce le drame romantique bourgeois. La tendresse qui unit Ninetta à son père anticipe *Luisa Miller* de Verdi ; les scènes du tribunal et la bouleversante marche au supplice sont parmi les premières grandes scènes «rituelles» du théâtre lyrique du XIXe siècle. L'ouverture enfin, marquée par les sinistres roulements de tambour, est peut-être la plus belle de Rossini.

NELL' APERTURA DEL NUOVO TEATRO DI PESARO
SI RAPPRESENTERA' IL MELODRAMMA SEMISERIO
LA GAZZA LADRA
MUSICA DEL CELEBERRIMO SIGNOR GIOACCHINO ROSSINI
RIFORMATA, E DIRETTA DA LUI MEDESIMO
PERSONAGGI — ATTORI
LA VENDETTA D' ULISSE
ORCHESTRA

Le sujet de Cendrillon (à droite) s'inscrit dans la vogue d'opéra-féerie qui marqua l'opéra-comique français au début du XIXe siècle. Avec Rossini, cette mode gagne l'Italie, tout en subissant de sérieuses transformations. Plus de citrouille transformée en carrosse, plus de pantoufle de vair. L'opéra est transporté dans un univers rationnel comme en témoigne le décor d'inspiration classique ci-dessus. Rossini et son librettiste Feretti mettent au contraire l'accent sur l'élément humain, c'est-à-dire l'archétype fondamental du conte, qui ressemble étrangement au *King Lear* de Shakespeare, le problème des trois sœurs, dont la troisième est perscécutée parce que différente.

Lorsque Rossini quitte l'Italie, il a écrit plus de trente opéras en dix ans. Sa carrière fulgurante l'appelle vers d'autres pays d'Europe, où ses œuvres l'ont souvent précédé. Vienne et Londres lui réservent un accueil triomphal. Que peut-il espérer de plus ? Etre reconnu à Paris, la plus haute consécration de l'époque. Rossini décide donc de s'y installer ; il se produit alors un phénomène d'une ampleur imprévue...

CHAPITRE IV
LA FIÈVRE ROSSINIENNE

"On prétend, mais nous ne garantissons pas les faits, que deux Rossiniens ont été trouvés, gelés, à quatre heures du matin, dans la rue Rameau : leurs mains étaient encore jointes, et ils avaient la bouche ouverte pour crier bravo."

Le Diable boiteux, 13 novembre 1823

Dès l'été 1821, Barbaja entre en négociations avec Vienne, qui règne encore sur les provinces italiennes du Nord. Un an auparavant, en juin 1820, a éclaté à Naples l'insurrection des carbonari, patriotes révolutionnaires, qui réclamaient à Ferdinand Ier une Constitution similaire à celle accordée aux Espagnols en 1812 par Joseph Bonaparte. Le pouvoir des Bourbons est sérieusement menacé, et l'imprésario comprend l'opportunité d'aller travailler ailleurs. Quant à Rossini, marqué dès l'enfance par les mésaventures politiques de son père, il songe également à partir. Son dernier opéra napolitain, *Zelmira* (*Zelmire*), est créé le 16 février 1822.

Mais il sait déjà, en le composant, qu'il le destine au public viennois : Barbaja signe en décembre 1821 un contrat par lequel il prend la direction du célèbre Kärntnertortheater, théâtre impérial où l'on donne des opéras italiens.
Rossini en profite donc pour approfondir l'élaboration orchestrale et harmonique, ce qui ne lui était guère concédé en Italie.

L'histoire de l'opéra italien ne se limite pas à la seule péninsule. Au XVIIIe siècle, ce genre connut au contraire une large diffusion en Europe, d'abord par le truchement des troupes itinérantes, ensuite grâce à des compositeurs italiens attachés à la cour des princes. Paisiello composa à Saint-Pétersbourg pour Catherine II, et Salieri à Vienne pour Marie-Thérèse et Joseph II. Ce succès de l'opéra italien à l'étranger fut aussi une grande chance pour l'évolution du genre, qui s'enrichit et se régénéra au contact d'autres traditions musicales. Vienne (en haut) devint ainsi, après Naples et Venise, un grand foyer d'opéra italien, en recueillant l'héritage du «symphonisme» classique. Bien que créée à Naples, *Zelmira* (décor ci-contre) peut être considérée comme un opéra «viennois», en raison du raffinement de son écriture orchestrale.

Contrairement au terme de *diva*, fruit de l'enthousiasme du public et de la critique, le terme de *prima donna* appartenait au jargon du monde de l'opéra et possédait un sens précis. Il figurait sur le contrat de l'interprète, où il spécifiait son rang hiérarchique et lui accordait de grandes prérogatives musicales et dramatiques, comme le droit aux grands numéros, tels que «scène, chœur et cavatine», ou au rondò final. *Prime donne* par emploi, les cantatrices ci-contre devinrent des divas adulées du public grâce à leurs mérites, mais aussi, en grande partie, grâce à la musique de Rossini qui, mieux que toute autre, sut mettre leur voix en valeur. Giulia Grisi (en haut), Marietta Alboni (en bas), et Maria Malibran (à droite) furent les plus grandes interprètes de l'époque post-rossinienne (1830-1850), prenant la succession d'Isabella Colbran (ci-dessus).

Le «Lucifer de la musique»

Le 13 avril 1822, *Zelmira* ouvre le «Festival Rossini» que Barbaja organise pour sa première saison à Vienne. L'opéra remporte un triomphe, qu'il partagera avec *La Cenerentola, Matilde di Shabran, Elisabetta* et *La Gazza ladra*. Naturellement, les compositeurs germaniques ne le voient pas d'un très bon œil. Carl Maria von Weber, compositeur du *Freischütz* (1821) et champion de l'opéra allemand, est fort irrité de cette vogue qui consacre une esthétique opposée à la sienne, et qualifie Rossini de «Lucifer de la musique». Beethoven n'apprécie guère plus. Rossini affirmera, bien des années plus tard, avoir rencontré le grand maître, mais rien n'est moins sûr. Sa célébrité fait des envieux. Pour les compositeurs napolitains, sa musique est trop allemande à cause de son orchestre; pour les compositeurs viennois, elle est trop italienne du fait de sa vocalité.

Un voyage musical sur les traces de Haydn

Le festival de Vienne marque un tournant. Il constitue le point d'orgue de la fructueuse collaboration entre Rossini et Barbaja, qui se séparent désormais. C'est aussi la première étape d'un périple de deux ans, au cours duquel Rossini découvre l'Europe et une nouvelle vie. Nouveaux pays, nouvelles relations, nouveau rythme de travail. Metternich, rencontré à Vienne, invite le «dieu de l'harmonie» au congrès de la Sainte-Alliance qui se tient à Vérone en octobre 1822. Chateaubriand, l'empereur d'Autriche François II, le tsar Alexandre Ier et le duc de Wellington y entendent *La Santa Alleanza* (*La Sainte-Alliance*) et *Il Vero Omaggio* (*Le Vrai Hommage*), cantates que Rossini compose pour la circonstance. Désormais, sa compagnie est recherchée des plus grands.

En tant que compositeur lyrique, Weber fut l'une des plus grandes victimes de la «rossinite aiguë» que l'Europe contracta dans les années 1820. Il fut pourtant l'une des figures majeures de l'histoire de l'opéra allemand, et ouvrit la voie à Wagner par ses innovations. Il fut le premier chef à utiliser la baguette pour diriger (ci-dessous). Dans *Euryanthe*, créée en 1823 à Vienne, au Kärtnertortheater (à gauche), il mit au point la technique des «thèmes de réminiscence» qui allaient devenir les *leitmotive*. Son opéra le plus connu, *Der Freischütz* (1821), s'inspire d'anciennes légendes populaires allemandes, et insuffle dans l'opéra le goût du fantastique qui allait devenir typique du romantisme allemand. Sur ce dernier point, Weber est en opposition totale avec la «clarté» rossinienne. Il existe pourtant des points communs entre les deux compositeurs. L'écriture orchestrale de Weber, par sa virtuosité instrumentale et sa grammaire mélodique, doit en effet beaucoup au grand rival italien.

Libéré du contrat qui l'attachait à la cour de Naples, Rossini se rend à Londres en décembre 1813, comme l'avait fait Haydn à la mort du prince Esterházy. Tout comme Haydn d'ailleurs, il supporte fort mal la traversée de la Manche, et reste alité

pendant une semaine. Voituré en vinaigrette jusqu'au pavillon de Brighton, Rossini fera ainsi, le visage défait, sa première apparition devant la Cour qui l'accueillera, en grande pompe, au son de l'ouverture de *La Gazza ladra*, et le saluera, quelques heures plus tard, en fredonnant le «*Buona Sera*» du *Barbiere di Siviglia*. Sa piètre mine ne l'empêchera nullement de devenir un proche ami du roi, et, en raison de son

Au pavillon de Brighton (à gauche), c'était un grand honneur pour Rossini que de faire de la musique avec George IV (ci-dessus), lequel, du reste, chantait faux.

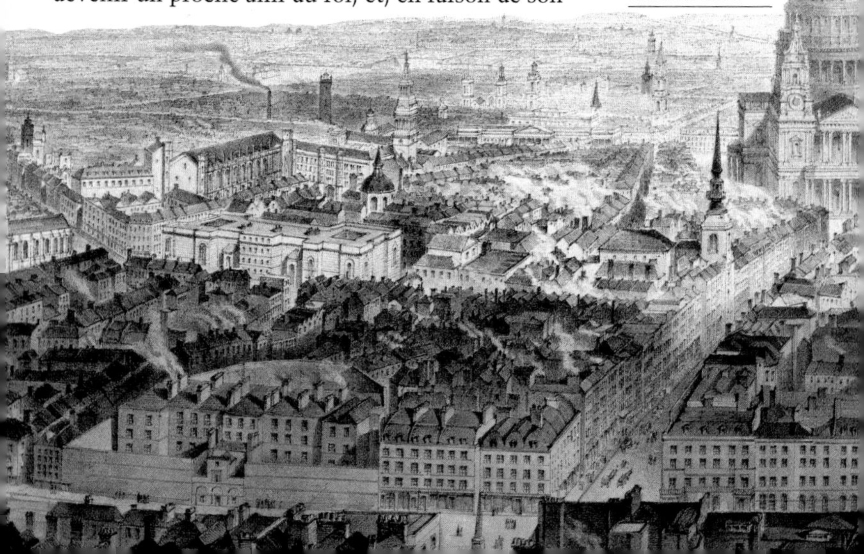

humour et de sa civilité, la coqueluche des soirées de l'aristocratie anglaise.

Pendant son séjour, il dirige lui-même *Zelmira*, *Il Barbiere di Siviglia*, *Otello* et *Semiramide* au King's Theatre. Malheureusement, cette saison obtient peu de succès. La voix d'Isabella Colbran accuse de sérieux signes de dégradation, et sa carrière touche à sa fin. Rossini reçoit cependant du Théâtre royal la commande d'un nouvel opéra, *Ugo, re d'Italia* (*Hugo, roi d'Italie*), qui, pour des raisons assez mal connues, ne sera jamais terminé. L'acte I fut sans doute composé, mais il est aujourd'hui perdu. Tout ce qui reste de l'œuvre se trouve dans l'autographe d'*Ermione* : quelques passages inscrits en rouge, où figure le nom d'Ugo.

Le King's Theatre au temps de George IV, pour lequel Rossini écrivit l'opéra inachevé *Ugo, re d'Italia*, aujourd'hui perdu.

Après dix ans de travail acharné en Italie, Rossini avait juste pu gagner de quoi subvenir à ses besoins. A Londres, grâce à ses leçons de chant, il fit fortune en six mois !

Le banquet du *Veau qui tète*, place du Châtelet (ci-contre), fut une des premières manifestations hyperboliques en faveur de Rossini à Paris. Il inspira à Scribe un vaudeville intitulé *Rossini à Paris, ou Le Grand Dîner*. L'argument est fondé sur un quiproquo digne des farces de 1812 : un inconnu arrive le soir au restaurant, où il est porté en triomphe par une assemblée de convives qu'il ne connaît pas. Ces derniers l'ont pris pour Rossini qu'ils n'avaient jamais vu, eux non plus.

Marqué par l'exemple de ses compatriotes Cherubini et Spontini, le compositeur ne rêve que de Paris

L'invitation à prendre la direction du Théâtre-Italien de Paris n'est sans doute pas étrangère à l'abandon du projet d'opéra pour Londres. Depuis quelques années déjà, Rossini brûle de venir travailler en France. Cherubini et Spontini, les meilleurs compositeurs italiens avant lui, y ont fait carrière. En chemin vers Londres, il avait pris soin de s'arrêter une première fois à Paris. C'était en novembre 1823. De grandes personnalités du monde artistique étaient venues faire sa connaissance au cours d'un fastueux banquet donné au restaurant du *Veau qui tète*. Les compositeurs français Lesueur, Boïeldieu, Auber et Hérold l'accueillirent en ami. D'autres réagirent de façon très agressive à son arrivée. A la tête des antirossiniens, Henri-Montan Berton, compositeur d'opéras-comiques, publia le virulent pamphlet *De la*

musique mécanique et de la musique philosophique. A son tour, la presse se jetta dans la polémique et l'amplifia. Ironie du sort ? Le compositeur qui avait marqué de son génie le «*crescendo* de la calomnie» devait maintenant subir celui de la médisance.

Malgré tout, il revient à Paris en août 1824, et s'installe au 10, boulevard Montmartre où habitent les compositeurs Boïeldieu et Carafa. Il accepte la proposition du vicomte Sosthène de La Rochefoucauld, directeur des Beaux-Arts du gouvernement de Louis XVIII, à condition que Paër, alors directeur du Théâtre-Italien, ne soit pas congédié. C'est lui qui a déjà fait représenter douze de ses opéras – dans des versions, certes, peu authentiques – assurant ainsi sa notoriété à Paris. Conscient du prestige de Rossini, considéré comme le premier compositeur de l'époque, le gouvernement français s'est donc empressé de l'arracher à la «perfide Albion» et entend bien maintenant ne plus le laisser partir. En novembre 1824, Rossini signe un contrat qui le lie avec le successeur de Louis XVIII, son frère le comte d'Artois. En échange de sa présence à Paris, Rossini est inscrit sur la Liste civile et reçoit une pension annuelle.

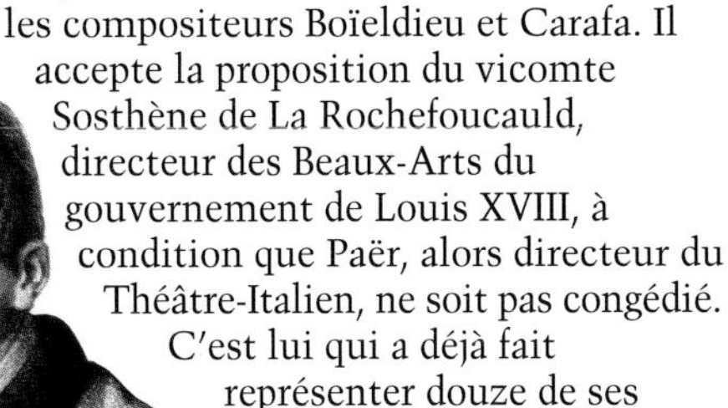

Mademoiselle Mars (ci-dessus), célèbre actrice du Français qui devait créer le rôle de doña Sol d'*Hernani* en 1830, fut, comme le compositeur Hérold (à gauche), l'une des nombreuses personnalités venues accueillir Rossini à ce dîner. Hérold, né en 1791, fut un grand ami de Rossini. Prix de Rome en 1812, il connut sans doute Rossini à Naples dès 1815. De retour à Paris, il tint le poste de *maestro al cembalo* au Théâtre-Italien. C'est lui qui fit venir en France Giuditta Pasta et Filippo Galli, et qui supervisa la première française de *Mosè in Egitto* en 1822. Son dernier opéra, *Le Pré aux clercs* (1832) remporta un succès phénoménal, dont il profita à peine car il mourut de la tuberculose cinq mois après la première.

«Il Viaggio a Reims» couronnement d'un prince, ou adieu à une tradition italienne ?

A la mort de Louis XVIII, roi libéral qui avait accordé la Charte de 1814, la Restauration change de visage. L'avènement du comte d'Artois marque le triomphe de la contre-révolution soutenue par les ultra-royalistes. En mai 1825, il se fait sacrer à Reims sous le nom de Charles X, selon l'usage ancien.

Rossini écrit à cette occasion une cantate en un acte, *Il Viaggio a Reims* (*Le Voyage à Reims*), contant les aventures d'une délégation internationale venue des quatre coins d'Europe pour assister au couronnement du souverain. L'ouvrage est créé sous forme scénique le 19 juin à la salle Louvois, siège du Théâtre-Italien, en présence de la Cour. Charles X, flanqué dès duchesses d'Angoulême et de Berry, «lève les yeux au ciel, comme Didon sur le bûcher» – pour reprendre les termes du musicographe Castil-Blaze. Cette musique l'assomme. L'opéra n'aura pas droit à plus de trois représentations. Il ne sera repris que vingt-trois ans plus tard, sous le titre *Andremo a Parigi?* (*Irons-nous à Paris?*), pour célébrer… la révolution de 1848 !

“Italie, empire du Soleil; Italie, maîtresse du monde; Italie, berceau des lettres, je te salue. Combien de fois la race humaine te fut soumise, tributaire de tes armes, de tes beaux-arts et de ton ciel!”

Madame de Staël, *Corinne ou De l'Italie*

Giuditta Pasta (ci-contre), créa le rôle de Corinne.

Après cette exhumation sans grand succès, l'œuvre sera définitivement oubliée, et la partition égarée.

On a cru longtemps que cette musique, compilation probable d'œuvres anciennes réalisée à la hâte, ne valait pas grand chose. Immense fut la surprise de tous lorsque, au début des années 1980, la partition fut retrouvée et restaurée, et que l'œuvre fut recréée en 1984 au Festival de Pesaro, sous la direction de Claudio Abbado. Dernier opéra italien de Rossini, *Il Viaggio a Reims* peut être considéré comme l'apothéose du genre. Rossini prend congé de la tradition par un feu d'artifice. Il utilise la structure du *pezzo chiuso* (numéro fermé) dans sa forme la plus traditionnelle, associée à une écriture vocale virtuose qu'il abandonnera ensuite. Pour cet ouvrage, Rossini a réuni les plus grands chanteurs du moment autour de Giuditta Pasta, qui succède à Isabella Colbran.

Mais ce qui pourrait être un adieu larmoyant n'a rien de triste. Plus qu'un opéra, c'est une satire d'opéra. Le livret, l'un des plus désopilants qui soit, s'inspire du roman *Corinne, ou De l'Italie* de madame de Staël, traité sur le mode de la dérision. Les personnages sont des caricatures d'une bouffonnerie

Pour le couronnement de Charles X, Rossini aurait pu écrire une œuvre de circonstance «sérieuse», comme les cantates qu'il composa pour les Bourbons de Naples. Mais, dans ce qui devait être son dernier opéra italien, il préféra délibérément le gag, pariant fort probablement que l'inculture du nouveau souverain l'empêcherait de saisir les nombreuses irrévérences de la pièce. A la fin de l'ouvrage, les personnages oublient tout simplement le couronnement pour organiser une fête entre eux ! Les différentes nations sont représentées par un concert d'hymnes nationaux parmi lesquels figurent *«God save the King»*, *«Gott erhalte Franz der Kaiser»* de Joseph Haydn et une chanson du XVIe siècle, *«Vive Henri IV»* pour la France. Dans son enregistrement, Claudio Abbado est allé jusqu'à inclure *La Marseillaise*. Mais si celle-ci est bien citée dans *L'Italiana in Algeri*, Rossini n'aurait tout de même pas pris le risque d'en faire jouer une seule note devant Charles X. Page de gauche, la salle Louvois, où fut créé *Il Viaggo a Reims.*

exubérante. La comtesse de Folleville, notamment, déploie l'éloquence grandiose des arias pathétiques d'opera seria pour ne pleurer rien moins que la disparition de sa garde-robe. Baroud d'honneur pour une esthétique révolue, ou pied-de-nez au romantisme naissant ?

« L'on donnait hier aux Italiens *Le Barbier de Séville* de Rossini. [...] Mon Dieu ! est-on heureux d'avoir une loge aux Italiens. »
Balzac, *Le Père Goriot*

Le Théâtre-Italien : la victoire du public

L'Opéra et le Théâtre-Italien se partageaient à Paris la scène lyrique. Le premier avait son siège salle Le Pelletier (ci-dessus). Le second, victime d'incendies répétés et de nombreux changements de direction, ne cessa de déménager, entre l'Odéon, la salle Favart et la salle Louvois.

Depuis la loi sur les théâtres de Napoléon (1806), Paris compte deux principales salles d'opéra : l'Académie royale de musique, appelée plus simplement l'Opéra, et le Théâtre-Italien. La venue de Rossini à sa tête va offrir à ce théâtre son âge d'or. Les plus grands chanteurs s'y produisent, comme le soprano Giuditta Pasta, ou le ténor Giovanni Battista Rubini. A cette école italienne du chant, une petite Française se distingue : Laure-Cinthie Montalant, qui italianise son nom en Cinti. Les spectacles, d'une qualité exceptionnelle, déclenchent chez le public une fièvre qui frôle l'hystérie collective. Pour la seule année 1825, on compte cent quarante-deux représentations d'opéras de Rossini, aussi bien opere serie (quatre-vingt-une représentations) qu'opere buffe (soixante et une) ! Les *dilettanti* ne se lassent d'entendre cette musique qui les enivre. Partant de

Principale *prima donna* de l'époque postrossinienne, Maria Malibran (ci-contre) était la fille de Manuel García, créateur du rôle d'Almaviva du *Barbiere di Siviglia*. Elle fut une interprète idéale des opéras de Bellini. Sa mort prématurée à l'âge de vingt-huit ans, à la suite d'une chute de cheval, contribua à la faire entrer dans la légende.

Paris, cette frénésie gagne la planète entière. Flora Tristan raconte que les religieuses du monastère de Santa Catarina à Arequipa, au Pérou, chantaient du Rossini en s'accompagnant à la harpe. Il n'est pas exagéré de dire que ce phénomène est unique dans l'histoire de la musique. Aucun autre compositeur du XIXe siècle, pas même Wagner, ne sera autant adoré et fêté ou, au contraire, vilipendé par ses détracteurs.

Cet engouement hyperbolique reste malgré tout étonnant. A Paris, il correspond peut-être à la fin du malentendu entre la France et l'Italie qui avait duré pendant tout le XVIIIe siècle. Sous l'Ancien Régime, alors que l'opéra italien se répandait dans toutes les grandes cours d'Europe, il était pratiquement interdit en France. Les rares tentatives d'implantation avaient débouché sur des querelles mémorables : la querelle des Bouffons (1752), puis la querelle des Gluckistes et des Piccinnistes (1777).

Giambattista Rubini (ci-dessus), comme Giovanni David, avait une voix de ténor extrêmement aiguë, de type *contraltino*.

Elles se fondaient bien plus sur des raisons politiques de protectionnisme que sur des divergences de goût : les compositeurs français défendaient leur territoire. L'arrivée de Rossini à Paris aurait pu allumer une troisième querelle, mais cette fois le public eut raison des vaines tentatives de résistance cocardière des musiciens français.

L'Opéra : la victoire de Rossini

L'incroyable gloire de Rossini est aussi l'histoire d'une rencontre. Longtemps frustré de musique italienne, le public français s'enflamme ; de son côté, Rossini ne cesse de se rapprocher de l'esthétique française, héritée de Gluck, qu'il considère comme la plus noble. Depuis son séjour à Naples, il se destine à affronter le temple de l'opéra français, l'Académie royale de musique, qu'il s'est réservée pour la fin de sa carrière. Sa dernière bataille sur scène se livrera à l'Opéra.

Il s'y prépare avec la plus grande prudence. Il faut écrire en français. Cette langue, bien que cousine de l'italien, offre des caractéristiques musicales pratiquement opposées. Le rythme et la lumière, deux des composantes essentielles de la musique de Rossini, proviennent directement de la langue italienne. En français, il n'y a pas d'accent tonique, ce qui rend la prosodie beaucoup plus délicate, et les voyelles, au nombre de quatorze, déploient une palette de coloris beaucoup plus large, surtout dans les teintes sombres. Pour s'adapter à cette langue, Rossini devra complètement transformer son style. Adieu aux resplendissantes vocalises rivalisant avec les agilités du violon : la mélodie épouse désormais la noble ligne déclamatoire typique du chant français, tendue comme un trait d'archet du violoncelle.

Pour ses débuts à l'Opéra, Rossini choisit de réaménager des œuvres anciennes. En 1826, alors que la ville grecque de Missolonghi résiste vaillamment depuis quatre ans à l'armée turque, il transforme *Maometto II* en *Le Siège de Corinthe*. L'ouvrage est réorchestré : l'orchestre de l'Opéra est plus fourni que celui du San Carlo. Rossini y ajoute des ballets, ce qui est obligatoire à Paris, et écrit pour l'acte III une musique nouvelle, culminant en une grandiose scène de bénédiction dans le finale. Ainsi retravaillée, l'œuvre remporte un énorme succès. C'est pour Rossini une double victoire : il parvient enfin à imposer cette pièce qui lui tient à cœur et qui avait échoué à Naples et à Venise, et il triomphe sur la scène de l'Opéra.

En 1827, Rossini reprend *Mosè in Egitto*, l'un de ses plus grands succès napolitains. La nouvelle version, *Moïse et Pharaon*, contient un acte supplémentaire, situé au commencement, et exposant le cadre historique de l'action. Cette sorte de prologue deviendra typique de l'opéra historique français ; on le retrouvera dans *Guillaume Tell*, puis dans *Don Carlos* de Verdi.

Sous l'Empire, le Théâtre-Italien avait d'abord élu domicile à l'Odéon. La salle, malheureusement, brûla (en haut à gauche, un projet pour sa reconstruction). Il devint, dans les années 1820, le quartier général des *dilettanti*. Les efforts de Hérold et de Rossini, qui avaient fait venir les meilleurs chanteurs d'Italie, en firent le temple du *bel canto*. Au centre, Rossini, caricaturé en 1821, soutenant ses personnages : de gauche à droite, Othello, Desdémone et Figaro. Ci-dessous, le chanteur Lablache dans le rôle de Figaro.

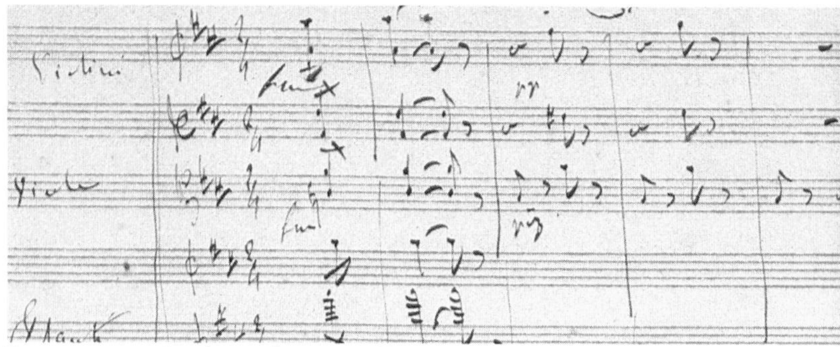

Les aventures érotiques du comte Ory

L'Académie royale de musique étant le siège du «grand-opéra», c'est dans ce genre qu'il faut classer l'ouvrage suivant de Rossini, *Le Comte Ory*, qui y est créé le 20 août 1828. Pourtant, cette œuvre n'a du grand-opéra que le nom, car c'est indéniablement un opéra-comique. Pièce courte, en deux actes, sans ballet, et nullement historique. Le livret, écrit par Scribe et Delestre-Poirson, s'inspire d'une ballade picarde de la fin du XVIIIe siècle, et narre les aventures érotiques d'un jeune libertin, le comte Ory. Au château de Formoutiers, la comtesse Adèle se retrouve seule car son époux est parti en croisade. Elle devient vite la proie convoitée par le comte Ory, qui tente d'abord de l'approcher sous les traits d'un hermite. Démasqué, Ory doit mettre au point un autre stratagème. Avec ses compagnons, parmi lesquels se trouve son page Isolier, il se déguise en nonne. A la faveur d'un orage, les religieuses demandent asile dans le château, et parviennent ainsi à l'investir. Entre deux alléluias, les soi-disant religieuses pillent la cave du sire de Formoutiers, et «sœur Colette» termine la nuit dans le lit de la comtesse Adèle... en compagnie d'Isolier.

Est-il besoin de préciser qu'un tel sujet aurait difficilement pu être traité dans les Etats du pape ? Ce mélange de beuveries, de ripailles et de prières, cette désacralisation de l'habit religieux par la paillardise, sans parler de la scène finale – plutôt salace – est d'une audace surprenante en 1828.

Pour le livret franchement rabelaisien du *Comte Ory* (autographe ci-dessus), Rossini signe une musique somptueuse, où il s'élève aux sommets olympiens du lyrisme de Mozart. Abandonnant les figures de virtuosité des opéras napolitains, Rossini réussit un équilibre miraculeux entre voix et orchestre.

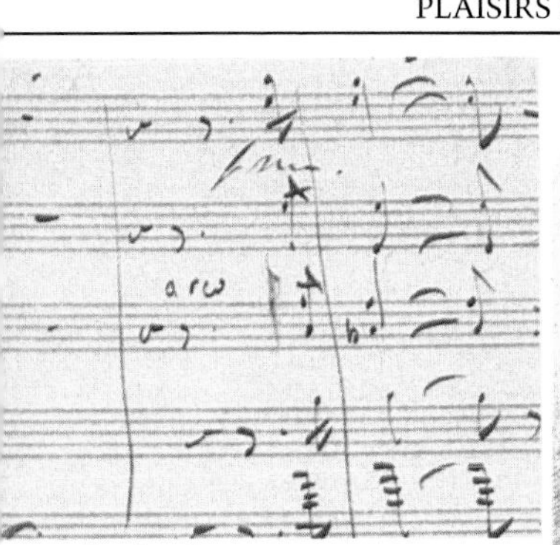

Offenbach n'aura qu'à suivre cette voie. Enthousiasmé par de telles canailleries, Rossini se transforme en Rabelais de l'opéra. La musique composée n'est pas entièrement nouvelle. L'essentiel de l'acte I provient du *Viaggio a Reims*. L'art du *contrafactum*, avec lequel Rossini reprend une musique préexistante pour y accoler un autre texte, relève ici du prodige. L'acte II est en grande partie nouveau, ce qui occasionne une rupture de ton assez nette. Le compositeur se rapproche ici du raffinement orchestral de Boïeldieu, dont il admirait *La Dame blanche*, créée trois ans auparavant. Le sommet de la partition est atteint dans le trio «A la faveur de cette nuit obscure» où Rossini livre une musique d'une grâce toute mozartienne pour une des scènes les plus osées du théâtre lyrique.

Ory. – «C'est moi : c'est sœur Colette.
Seule, et dans cette chambre
Où je ne puis dormir,
Tout me trouble, tout m'inquiète.
J'ai peur… permettez-moi…
Près de vous… de venir.»

Le Comte Ory, trio n°11

Rossini réserve une surprise... de taille

Guillaume Tell, dernier opéra de Rossini, est son chef-d'œuvre dans le genre sérieux. C'est le seul opéra entièrement nouveau qu'il écrit pour Paris. Sa composition, très longue, dure presque un an. A ses débuts, Rossini aurait écrit trois opéras entiers en ce temps ! Probablement en raison de cette longue gestation, l'œuvre atteint des proportions colossales. Rossini a composé près de six heures de musique, un

Rossini aux Italiens, passe encore ! mais à l'Opéra, voilà qui est insupportable pour les antidilettantes. C'est le cirque, la foire, qui entre au temple du grand-opéra !

record dans l'histoire de l'opéra, qui dépasse de loin les œuvres de Wagner ! Mais *Guillaume Tell* ne sera jamais représenté en entier, même du vivant de Rossini. Pendant les répétitions, le compositeur coupe près d'une heure de musique. Après la première, il procédera encore à quelques coupures, qui ramènent l'œuvre à la durée raisonnable de quatre heures de musique. Enorme également est l'orchestre requis. Il compte quelque quatre-vingts musiciens, soit plus de deux fois l'effectif des orchestres italiens.

Adolphe Nourrit (en haut), créateur du rôle d'Arnold, fut le dernier ténor à utiliser la technique belcantiste du *falsetto* pour les aigus. En dessous, Henri-Bernard Dabadie, créateur du rôle de Guillaume Tell, en costume.

Scénographies néo-classiques et romantiques.

L'espace scénographique était l'une des préoccupations majeures du genre grand-opéra. De même que la fosse d'orchestre de la salle Le Pelletier pouvait contenir jusqu'à quatre-vingts musiciens, la scène était conçue pour accueillir de nombreux acteurs et figurants, et représenter l'action de façon ample. *Guillaume Tell* (ci-contre) et *Le Siège de Corinthe* (page suivante) illustrent pourtant deux conceptions opposées de la scénographie. Les décors du *Siège de Corinthe* sont typiques de l'esthétique néo-classique, reconnaissable aux jeux de perspective, à la splendeur des édifices et des décorations. Avec *Guillaume Tell* apparaît au contraire une évocation pittoresque de la Suisse, par la représentation d'une nature sauvage et non géométrique.

Avec la conquête des premiers sommets alpins, la Suisse fut célébrée sur scène en des décors rivalisant de pittoresque (ci-contre).

La fameuse ouverture, ainsi que le ballet de l'acte III, figurent parmi les plus belles pages instrumentales de Rossini.

Tiré du célèbre drame de Schiller, le livret de Jouy et Bis offre au compositeur un matériau assez similaire à celui de *La Donna del lago*. Ce ne sont plus les Ecossais qui luttent pour leur indépendance face à l'Angleterre, mais les Suisses face à l'Autriche. La veine patriotique, développée dans *Le Siège de Corinthe*, s'épanouit pleinement ici. Le chœur

devient véritablement protagoniste. Les deux drames offrent un autre point commun : le pittoresque attaché à l'évocation des lacs et des montagnes, qui gouverne ici l'ensemble de l'acte I, sorte de prologue à l'action.

Les premières répétitions sont prévues pour l'hiver 1828. Mais Laure Cinti, pour qui Rossini a écrit le rôle de Mathilde, est enceinte. Les représentations sont donc reportées, et l'opéra est créé le 3 août 1829.

Guillaume Tell, écrit pour Paris en 1829, fut représenté en Italie, dans une version traduite, *Guglielmo Tell*, qui supplanta l'originale. Cette version italienne n'est qu'une contrefaçon, la ligne mélodique ayant été conçue pour épouser la prosodie française.

TÀ ROSSINIANA PESARESE

NITA MUSICALE

CHINO ROSSINI

LIELMO TELL.

Le public, qui, pas un instant, n'avait pu imaginer ce qu'il allait entendre, reste abasourdi. Les *dilettanti* ne retrouvent plus l'italianisme qui les ravit. Ils se sentiront «trahis» par cet opéra. Rossini a forcé sa nature pour se contraindre à un style qui n'est pas le sien, pensent-ils, sans savoir que, douze ans auparavant, le public napolitain avait pensé la même chose à propos d'*Armida*. De leur côté, les détracteurs regrettent leurs virulents pamphlets : ils sont obligés de reconnaître en *Guillaume Tell* l'application des principes esthétiques qu'ils défendent. Pour ses adieux à la scène, Rossini a offert une petite leçon d'humilité au public : on ne saurait réduire à une image sommaire celui qui est sans doute le plus grand compositeur d'opéras vivant !

La scène de la pomme inspira à Rossini l'une de ses plus belles pages :
«Sois immobile
et vers la terre
Incline un genou
suppliant.
Invoque Dieu, c'est
lui seul, mon enfant,
Qui dans le fils
peut épargner le père.»
Les accents pathétiques de Guillaume, soutenus par un contre-chant des violoncelles, servirent de modèle à Verdi pour l'acte II de *Rigoletto*.

La retraite de Rossini laisse ses contemporains interdits. On espère, en vain, qu'il va reprendre la plume. Un *Faust* serait à l'étude, qui ne verra jamais le jour. Le temps passe, et le retour de Rossini sur scène semble de plus en plus improbable. Apparemment, si l'homme est toujours en vie, le compositeur est mort. Pour contenter un public privé de sa musique de prédilection, on monte en 1847 à l'Opéra un *centone* (pot-pourri), *Robert Bruce*, à partir de ses œuvres les plus célèbres. Rossini, qui déteste ces pratiques, n'a même plus la force de s'y opposer. Qu'on l'habille donc en arlequin de carnaval – pour reprendre son expression –, peu lui importe à présent ! On écrit également sa biographie, et comme on ne sait pratiquement rien sur ses

années de travail en Italie, on n'hésite pas à inventer, et les anecdotes fantaisistes sont reprises d'un ouvrage à l'autre. Biographie de légende, œuvres apocryphes : voilà le résultat du silence énigmatique de Rossini.

En 1830, tout bascule

Aujourd'hui encore, bien des spécialistes s'interrogent. Echec de *Guillaume Tell* ? Certainement pas. Rien qu'à l'Opéra, l'œuvre fut représentée plus de six cents fois. Cet échec fut inventé par ceux de ses admirateurs qui furent déconcertés par une musique aussi peu italienne.

Tournant des années 1830 ? C'est déjà plus probable. Après les Trois Glorieuses et l'abdication de Charles X, la monarchie de Juillet ne reconnaît plus à Rossini la pension qui lui était

Le retrait de Rossini était sans doute prémédité depuis longtemps. Il était alors au faîte d'une gloire qui mit quelques années à décliner. Ses principales œuvres continuèrent d'être données à la scène (ci-dessus), et l'Opéra fit ériger une statue du maître en 1846, espérant le forcer à se remettre à la composition. Mais Rossini ne fit qu'autoriser la représentation de *Robert Bruce*, un *centone* réalisé par Niedermeyer à partir de *La Donna del lago* et d'autres œuvres.

accordée. Le compositeur devra engager de longues et pénibles démarches judiciaires pour faire valoir ses prérogatives. Quelle humiliation pour celui devant qui s'inclinaient tous les monarques de la Restauration ! Si son ascension spectaculaire fut liée aux Bourbons, ils l'entraînent à présent dans leur chute. 1830 est en outre un grand tournant de l'histoire des arts. Le romantisme musical balaie les derniers restes de classicisme hérités du XVIIIe siècle. L'opera buffa quitte le devant de la scène, et emmène avec lui l'opera seria néo-classique. Place aux sombres drames de Meyerbeer. Si Rossini s'est approché du courant romantique (*La Donna del lago*) et a largement contribué à tracer la voie du grand-opéra français (*Guillaume Tell*), il reste profondément étranger à cette esthétique. Il préfère donc se retirer.

Guillaume Tell devait être le premier opéra d'une série de cinq. Rossini s'apprêtait à composer le second, *Faust*, lorsqu'éclata la révolution de Juillet.

«Mi lagnerò tacendo»

Enfin, il reste la cause fondamentale : la dépression nerveuse. Lorsqu'il quitte la scène en 1829, Rossini est exténué. Les premiers signes de fatigue apparurent probablement lors des années épuisantes passées en Italie. Le compositeur travaillait sans relâche, dans les conditions les plus difficiles, poussé par le besoin d'argent et harcelé par la rage de réussir. Rossini ne fut sans doute jamais ce musicien frivole et insouciant, encore moins fainéant, que l'on fit de lui. Son attitude envers la composition est étrange : elle révèle un tempérament obsessionnel et perfectionniste, assez proche de celui de Cherubini. La pression due aux échéances très rapprochées lui est nécessaire pour surmonter le blocage face à l'acte créateur. Jamais satisfait des passages qu'il affectionne, il ne cesse de les retoucher et de les améliorer. Les nombreux auto-emprunts de la période italienne, si souvent reprochés à Rossini, ne font au contraire que traduire ce besoin d'aller plus loin. Pour *Guillaume Tell*, le désir de parfaire tous les détails débouche sur un allongement considérable du

OYALE DE MUSIQUE.

hui Vendredi 9 Octobre 1829.

AD.-NOURRIT et de Mme CINTI-DAMOREAU.)

LLAUME

ELL,

Jouy et *Hippolyte Bis*, musique de *M. Rossini*, dir

Aumer, décorations de *M. Cicéri.*

La légende d'un Rossini fainéant, s'étant retiré du métier parce qu'il avait fait fortune, devint plus forte que jamais. Ci-dessous, le maître, ventripotent, tenant ses rentes sous le bras.

temps de création. La démission (chez Rossini comme chez Cherubini) ou l'inachèvement (chez Schubert) ne sont que l'étape suivante : ne pouvant plus se satisfaire du résultat obtenu, le compositeur renonce.

Il est également curieux de noter comme l'œuvre de Rossini progresse par cycles clos. Après les farces de jeunesse, composées en la seule année 1812, il abandonne le genre. Il s'adonne alors à l'opera seria, qu'il délaissera dix ans plus tard pour le grand-opéra français. Ceci traduit un engagement total dans une passion, qui se consume et s'épuise très vite. Rossini tourne alors la page et ne revient jamais en arrière. Il est également fort probable, même si ce n'est pas certain, que le compositeur présentait les mêmes traits de caractère dans sa vie privée. Sa liaison avec Isabella Colbran semble correspondre, elle aussi, à un «cycle clos» dans sa vie. Peu de temps après leur mariage, les relations entre les époux deviennent distantes. Ils se séparent en 1830.

Pendant ces années sombres, Rossini choisit un poème de Métastase, *«Mi lagnerò tacendo»*, qu'il met en musique une vingtaine de fois. Tout, dans cette démarche, est symbole. Le recours à Métastase, le plus grand librettiste classique italien, signifie le refus de l'esthétique romantique et la célébration du XVIIIe siècle. La série d'«exercices de style» sur le même texte trahit le tempérament obsessionnel de Rossini. Quant au texte du poème, il parle de lui-même : «Je me plaindrai en me taisant»...

Le «Stabat mater» : de l'église au tribunal

C'est à cause de sa maladie que Rossini ne peut achever son *Stabat mater* entrepris en 1832. La genèse de cette œuvre est relatée dans un article de Richard Wagner d'une férocité délectable. Par l'intermédiaire de son ami banquier Alejandro Aguado, marquis de Las Marismas, Rossini reçoit d'un ecclésiastique espagnol, don Francisco Fernandez Varela, archidiacre de Madrid, la commande de cette pièce religieuse. Devant renoncer à la composition au bout du sixième numéro, Rossini confie alors à son collègue Giovanni Tadolini, ancien élève du Padre Mattei, la tâche de composer les numéros restants. L'œuvre de Rossini-Tadolini est créée le vendredi saint de 1833 à la chapelle San Filippo El Real à Madrid. Varela mourra en 1837, sans rien savoir de la supercherie.

L'histoire du *Stabat mater* se serait arrêtée là si les exécuteurs testamentaires du prélat espagnol n'avaient pas commis l'erreur de vendre la partition à l'éditeur parisien Aulagnier. Celui-ci s'apprête à publier l'œuvre, dans l'espoir d'en tirer une grosse somme d'argent. De peur qu'on ne publie sous son nom la musique insignifiante de Tadolini, Rossini décide alors d'achever la composition du *Stabat mater*, dont il vend immédiatement les droits à Troupenas qui

Comme le roi Philippe V d'Espagne souffrait d'insomnie, la reine Elisabeth Farnese, d'origine italienne, eut l'idée de faire venir à la Cour le plus célèbre castrat du moment, Farinelli, pour le divertir. C'était en 1737, et l'Espagne devait devenir une patrie d'élection pour le chant italien, aussi bien à l'église (ci-contre) qu'au théâtre. Lors du séjour de Rossini à Madrid, la reine d'Espagne était à nouveau d'origine italienne, puisque c'était Marie-Christine de Bourbon, qui avait connu Rossini à Naples. Cette souveraine contribua considérablement à développer l'enseignement du chant italien au Conservatoire royal, et à faire de l'Espagne l'école de chant la plus prestigieuse d'Europe.

édite ses œuvres depuis *Le Siège de Corinthe*. Le 8 décembre 1841, Aulagnier perd le procès en contrefaçon que Troupenas lui a intenté. Ce scandale éditorial attise l'impatience du public parisien, qui n'a pas entendu de nouvelle œuvre de Rossini depuis plus de dix ans. La seconde version du *Stabat mater* est finalement créée le 7 janvier 1842 au Théâtre-Italien, et saluée par un tonnerre d'applaudissements. Trois numéros sont même bissés. Donizetti dirigera la première exécution italienne deux mois plus tard.

Rossini continua d'être ovationné à l'Opéra bien après 1829 (ci-dessus). Il ne fait aucun doute qu'il était considéré par ses contemporains comme le plus grand compositeur d'opéras vivant. Ceci explique en grande partie l'extraordinaire succès du *Stabat mater*, qui fut accueilli comme sa dernière œuvre dramatique, plus que comme une œuvre religieuse. Loin de toute méditation religieuse abstraite, la séquence de Jacopone da Todi présente la Passion d'une façon très humaine, au travers de la souffrance de la mère (à gauche, par Carpeaux).

Les critiques proprement musicales de Wagner sur le *Stabat mater* s'inscrivent dans une tradition allemande, qui apparaît avec la *Messa di gloria* de Rossini (1820) et durera jusqu'à la *Messa da requiem* de Verdi (1874). Certes, le langage choisi par Rossini dans ses messes n'obéit pas à l'idéal de sévérité et de dignité du choral luthérien. Mais il n'est pas exact pour autant qu'on y entende de la musique d'opéra. Les structures utilisées n'ont rien à voir avec celles en usage dans l'opéra italien, même si le style mélodique est effectivement le même. Rossini prouve par ailleurs son allégeance au style ecclésiastique par l'emploi d'une double fugue, d'une écriture très savante, sur les mots «*In sempiterna sæcula. Amen*» qui concluent la pièce.

Caricature d'un compositeur à la retraite. Plus de tambours, de canons ni d'artillerie. Plus d'orchestre tonitruant. Mais la silhouette épaissie, et l'air matois d'un bourgeois anonyme arpentant le boulevard...

L'ombre de l'Italien

S'il n'y avait eu l'affaire Aulagnier, Rossini n'aurait sans doute pas achevé son *Stabat*. De 1832 à 1855, il ne compose pratiquement rien. Il quitte Paris en 1836 pour s'installer à Bologne, où il prend la direction du Lycée musical. L'ancien compositeur de la Restauration y devient un fervent admirateur du Risorgimento. Hélas, pour les jeunes patriotes qui combattent l'armée autrichienne, Rossini, usé par la maladie et précocement vieilli, fait plutôt figure de réactionnaire. Effrayé par les insultes

Prestantissimo Sig.r Cav.e Ferd.o Giorgetti

Scrivo sulla impressione or ora risentita alla esecuzione del di lei magnifico Settetto in La, gioiello che nella somma di lei gentilezza si compiacque dedicarmi e ch'io son fiero di possedere: Pieno di nobiltà di stile trovai il primo Tempo, Affettuoso l'adagio, Delizioso lo scherzo alla Boccherini, Graziosissimo e ben dialogato il finale; Eleganza, Passione, elaborazione regnano in questo suo bel componimento, ed'ella a giusto titolo ben deve essere beato di essere stato sì felicemente ispirato: Gioachini, che tanto si fece applaudire al Casino, eseguì egregiamente il bel Settetto ed'ella può vantarsi avere in questo allievo (ora artista distintissimo) un interprete che pochi uguagliano.

Se non fu a lei discaro avere meco Patria comune, io sono fiero di vivere nel Secolo che lei ha marcato colle opere sue, come gloriose e il dirmi

Il più candido de di lei Estimatori

Gioachino Rossini

Bologna li 28 marzo 1845

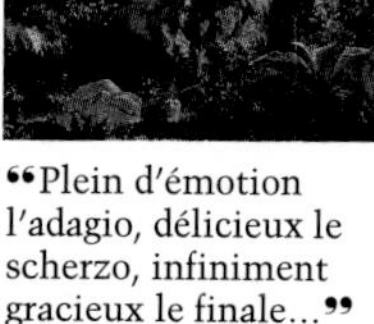

“Plein d'émotion l'adagio, délicieux le scherzo, infiniment gracieux le finale...”

qu'il reçoit en 1848, il fuit Bologne et s'installe à Florence.

La seule consolation de cette période vient d'Olympe Pélissier, ancienne maîtresse du peintre Horace Vernet, qu'il rencontre au début des années 1830. La jeune femme devient vite une compagne dévouée et fidèle qu'il épousera en 1845 après la mort d'Isabella Colbran.

Cette retraite en Italie correspond à Paris au règne de Louis-Philippe. Bien qu'amputé, défiguré, et souvent réduit à son seul acte II, *Guillaume Tell* reste au répertoire de la scène de l'Opéra. Dans ce théâtre, les successeurs directs de Rossini suivent la voie qu'il a tracée, car ils ont vite compris que, pour réussir, il fallait offrir au public

une musique «rossinienne». Et ce qui a tant séduit les Français, c'est la virtuosité du chant italien, qui a définitivement supplanté le *urlo francese* (hurlement français) que l'on pratiquait jusqu'alors. Auber, Meyerbeer et Halévy se montreront en ce sens «plus italiens» que Rossini, en écrivant pour la voix des parties d'une difficulté exubérante, où l'on perd le sens de la mesure si typique de Rossini. L'assimilation de l'italianisme par une culture étrangère provoque souvent ce type de débordement. Madame de Staël l'avait remarqué pour l'architecture «italienne» à Saint-Pétersbourg : «En Russie, s'ils n'atteignent pas leur but, ils le dépassent toujours.» On pourrait en dire autant de ces compositeurs français qui, malgré leur génie, ne peuvent que provoquer une décadence du goût dans le domaine vocal. Beaucoup plus féconde en revanche est l'influence de Rossini sur la musique instrumentale, en particulier le piano. Chopin et Liszt tirent de l'écriture vocale rossinienne la base de leur langage pianistique, et ce n'est certainement pas un hasard si l'âge d'or du piano commence lorsque celui de l'opéra s'achève.

De 1836 à 1855, Rossini fait table rase de son passé. Le renoncement à toute activité musicale digne de lui, aussi bien à Bologne qu'à Florence (vue ci-dessus), traduit un désintéressement pour la musique, aussi profond que provisoire, que ne sauraient démentir les guirlandes de compliments qu'il était capable d'écrire (page de gauche en haut), trop fleuries pour être sincères. Le choix d'une femme, non plus musicienne, mais d'une grande attention et d'une beauté exceptionnelle, comme Olympe Pélissier (à gauche), confirme sa recherche de nouvelles valeurs.

Les «Péchés de vieillesse»

En mai 1855, Gioachino et Olympe rejoignent Paris et s'installent au 2, rue de la Chaussée-d'Antin où ils resteront définitivement. Lentement, Rossini retrouve la santé. Après vingt-cinq ans de tourmentes, il aborde la vieillesse dans un miraculeux état de sérénité, comme s'il gagnait enfin la rive après avoir traversé un fleuve agité. Ce qui l'affectait tant hier l'amuse aujourd'hui. C'est une grâce qu'il reçoit pour ses vieux jours, et dont il fait profiter ses amis. Très vite, il reprend goût à la vie sociale, et son salon ouvre ses portes aux plus fins esprits du moment. Sa compagnie est très recherchée, car il est à la fois brillant et agréable. On le surnomme le «cygne de Pesaro»? Il trouve le «singe de Pesaro» plus approprié. Olympe, taxée de «Madame Rabat-Joie numéro deux», ne s'adapte qu'à contre-cœur à cette nouvelle vie, car c'en est fini de la tranquillité. L'été, ils quittent Paris pour leur villégiature de campagne, une maison qu'ils se sont fait construire à Passy.

Lors de son premier séjour à Paris, Rossini était devenu Français d'adoption. Il le devient maintenant à part entière en choisissant de finir sa vie à Paris. C'est, bien sûr, le retour à une ville qui fut son rêve de jeunesse, celle qui le porta en triomphe pendant de longues années; mais c'est aussi l'exil volontaire de son pays natal, avec lequel il entretient des relations pleines d'amertume.

Cig
Cigne

A l'occasion des samedis musicaux qu'il organise chez lui, Rossini se remet à composer. Le maître sort de son silence ! Mais la nouvelle manière est aussi différente de la première que son visage a changé au cours des longues années de maladie. Il écrit des œuvres destinées à être exécutées entre amis, dans son salon, comme l'avait fait Schubert pour les «Schubertiades». Ces œuvres, avant tout pour piano – instrument de salon par excellence – se veulent sans prétention. (Rossini se considère d'ailleurs comme un «pianiste de quatrième classe».) Ce sont les *Péchés de vieillesse*, quatorze albums de petites pièces de musique de chambre. Le titre est bien représentatif de Rossini : il y fait un clin d'œil

Ne pouvant lutter contre l'afflux de caricatures féroces (ci-dessus), Rossini eut l'élégance suprême de prendre part au jeu. Ci-contre, un calembour sur *cigno* (cygne) et *cignale* (sanglier).

à ses farces de jeunesse. C'est aussi un pied-de-nez au romantisme, à sa quête pathologique du sublime, à laquelle il n'a décidément jamais su se faire. Les titres de certaines de ces pièces ne laissent aucun doute : *Hachis romantique, Fausse Couche de Polka mazurka, Prélude prétentieux, Valse antidansante, Des tritons s'il vous plaît* ou encore *A ma belle-mère («Requiem æternam»)*... sont les ancêtres de la *Fugue de papier* et du *Choral inappétissant* d'Erik Satie, ou encore de facéties musicologiques, telle la cantate *Iphigénie à Brooklyn* de P.D.Q. Bach. Rossini n'est certes pas l'inventeur de la blague musicale, qui avait fait florès au XVIIIe siècle, mais il réhabilite des valeurs comme la légèreté et l'humour, avec lesquelles le XIXe siècle entretient des rapports conflictuels.

Se pourrait-il qu'un portrait résume toute une vie ? Rossini veilli était devenu chauve, obèse, et souffrait de sa laideur, mais il ne pouvait que l'accepter. Ces imperfections du corps sont la trace des sombres années de maladie. Le regard est énigmatique. On y trouve à la fois une vive intelligence, un sourire partagé entre la bienveillance et l'ironie, et, dans la position des paupières, un replis sur soi ou encore le désir de tenir l'autre à distance. Même devant l'objectif de l'appareil photographique, Rossini se montre méfiant et dissimule l'essentiel de lui-même.

La «Petite Messe solennelle»

Selon Rossini en personne, son dernier péché de vieillesse est cette messe qu'il compose en 1863 et qu'il dédie à la comtesse Louise Pillet-Will. Il l'intitule *Petite Messe solennelle*. Encore un trait d'esprit : les deux adjectifs se contredisent ! Pourtant le titre définit assez bien l'œuvre. Messe inclassable, elle n'appartient à aucun courant de la musique religieuse du XIXe siècle. Jusqu'à la fin, Rossini se joue des analystes et des théoriciens, en écrivant une musique profondément originale et inattendue.

La messe est solennelle parce qu'elle contient, en plus des cinq parties usuelles de l'ordinaire, un offertoire et un *O salutaris*. Elle est petite, car elle est composée pour l'effectif extrêmement surprenant de deux pianos et un harmonium accompagnant douze choristes. C'est une messe de chambre, ou plus exactement une «messe de salon». Créée le 14 mars 1864 chez les Pillet-Will, elle se compose de deux parties entre lesquelles on sert un dîner. Incorrigible, Rossini s'approprie l'idée de la Cène pour cette

N° 1. Me voilà - Bonjour Madame
(les Figues Sèches)

N° 2 Minuit sonne - Bon soir Madame
(Les Amandes)

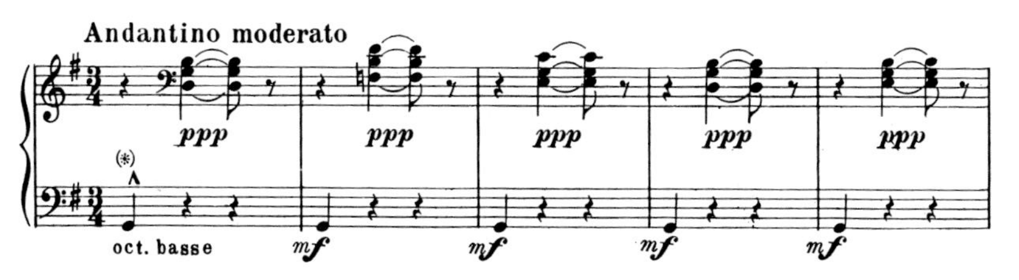

Mon Prélude hygiènique du matin

musique religieuse. Voilà pourquoi il n'y a que douze chanteurs : il ne faut pas qu'il y ait de Judas présent à ce banquet.

Selon Edmond Michotte, ami belge du compositeur, cette messe constituerait son testament artistique. Dernière pièce d'une œuvre essentiellement consacrée à la voix, on y trouve le modèle de

Imitation et ironie dans les *Péchés de vieillesse*. Le n° 2 évoque à la main gauche une sonnerie de cloche. Le prélude «hygiénique» parodie les exercices des méthodes de l'époque.

Petite messe Solennelle
à quatre Parties
avec accompagnement de 2 Pianos et Harmonium
Composée pour ma Villegiature de Passy.
Douze chanteurs de trois Sexes Hommes, Femmes, et Castrés seront suffisants
pour son exécution, savoir huit pour les chœurs, quatre pour les solos, total douze Chérubins
Bon Dieu pardonne moi le rapprochement suivant. Douze aussi sont les Apôtres dans le Célèbre
coup de Machoire peint à Fresque par Leonard dit La Cène, qui le croirait!
il y a parmi tes disciples de ceux qui prennent de fausses notes !! Seigneur,
Rassure toi, j'affirme qu'il n'y aura pas de Judas à mon Déjeuner et que
Les miens chanteront juste et Con amore tes Louanges et cette petite
Composition qui est Hélas le dernier Péché mortel de
ma Vieillesse —

G. Rossini

Passy. 1863

l'écriture vocale. Le Kyrie qui ouvre la messe est une page magistrale. L'accompagnement confié au piano évoque les basses obstinées néo-baroques employées par Mendelssohn dans ses motets et ses oratorios. Le Christe, *a cappella*, est un véritable exercice dans le style de Palestrina, que les compositeurs allemands remettent à l'honneur par le courant du cécilianisme. Mais la messe appartient par d'autres passages à l'univers des *Péchés de vieillesse*. Le Crucifixus, avec ses harmonies altérées et ses rythmes à contre-temps, offre un inexplicable prodrome du blues. La messe se termine par l'Agnus Dei. Cette page, consacrée à la voix de contralto – voix chérie entre toutes, s'achève par un ensemble poignant.

«Bon Dieu, la voilà terminée cette pauvre petite messe. Est-ce bien de la musique sacrée que je viens de faire ou bien de la sacrée musique ? J'étais né pour l'opera buffa, tu le sais bien ! Peu de science, un peu de cœur, tout est là. Sois donc béni et accorde-moi le Paradis.» Rossini s'éteint le 13 novembre 1868.

Pourquoi les futuristes admirent Rossini

La nouvelle bouleverse Verdi, qui propose à d'autres musiciens italiens d'écrire une messe collégiale en

LE 2

À L'OCCASION
de
SON 18me ANNIVERSAIRE.

Rossini ne se prenait pas au sérieux, comme en témoigne la page de titre de *La Petite Messe*. Il accordait en revanche un grand soin à son travail. Il orchestra lui-même sa partition, pour éviter que d'autres ne le fissent après lui. Mais cette autre version n'est plus exécutée : on lui préfère l'originale, à l'instrumentarium charmant.

l'honneur du patriarche de l'opéra italien. Dans cette *Messa per Rossini* (*Messe pour Rossini*), Verdi écrit la dernière pièce, le *Libera me*. Cette absoute donnera naissance, six ans plus tard à la *Messa da Requiem*, dédiée à la mémoire du poète Alessandro Manzoni. Verdi rend ainsi hommage à ceux qu'il considère comme les deux pères de l'Italie moderne, Rossini et Manzoni.

Pour Rossini, le temps de l'oubli est venu. Le romantisme a fait place au post-romantisme, aux passions exacerbées et souvent morbides. A l'aube du XXe siècle, ce courant s'épuisera de lui-même. La causticité de Rossini sera reprise par Satie, et les futuristes italiens, parmi lesquels Casella, prônent le retour à l'objectivisme musical, pour se débarrasser du *pathos* attaché à la musique du XIXe siècle. Rossini est alors réévalué : une œuvre comme *Il Turco in Italia* est enfin comprise dans toute sa modernité.

Parmi les multiples manifestations organisées pour célébrer en 1992 le bicentenaire de sa naissance, il en est une, tout à fait inattendue, qui aurait sans doute amusé Rossini. Lors de la cérémonie de clôture des jeux Olympiques d'hiver d'Albertville, il fut donné un ballet de style futuriste sur le Kyrie de la *Petite Messe*.

Né un 29 février, Rossini ne pouvait fêter son anniversaire que tous les quatre ans! Raison de plus pour que la fête soit réussie. Pour son dix-huitième anniversaire (ce devait être le dernier), Rossini âgé de soixante-douze ans reçut en cadeau une petite chanson humoristique, dans le pur style des *Péchés de vieillesse*. Page suivante, Rossini sur son lit de mort.

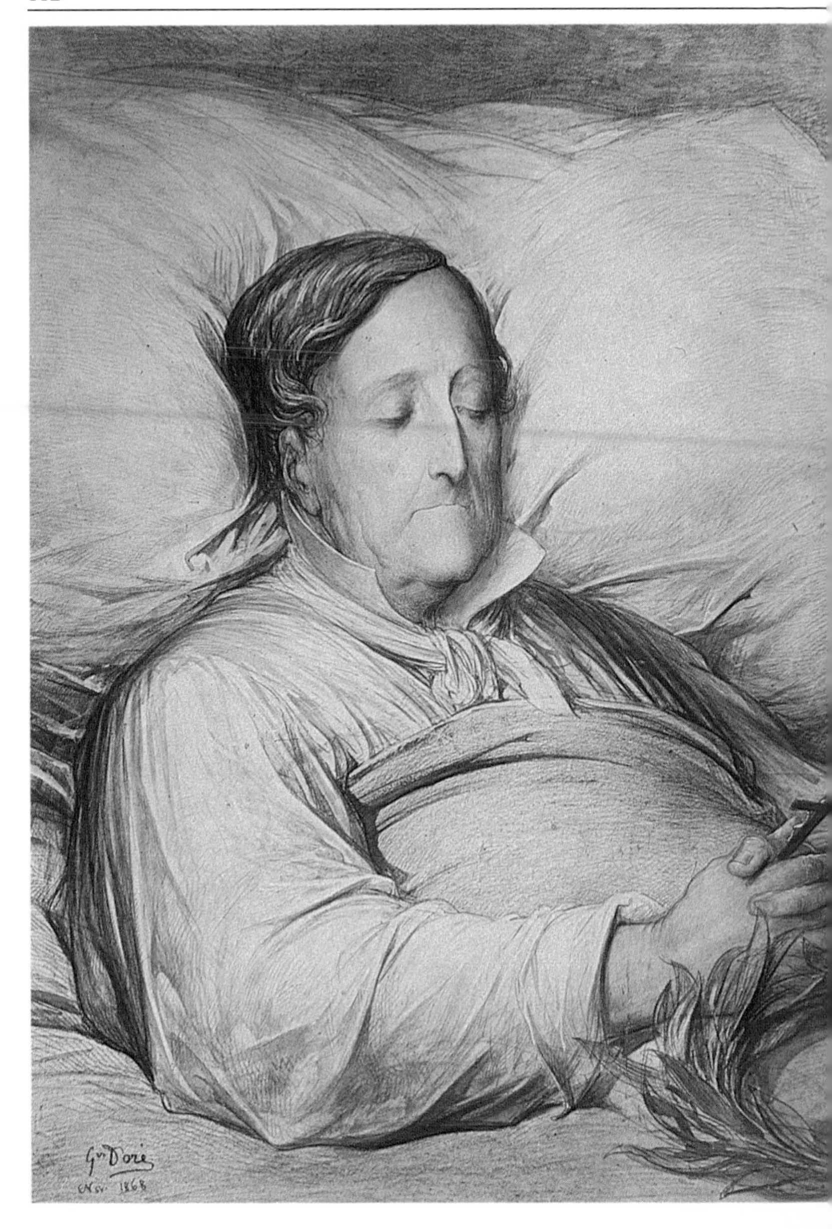
Gve Doré
Nov. 1868

TÉMOIGNAGES ET DOCUMENTS

Truculent, talentueux, prolifique,
prince de l'opéra,
aimant les femmes, aimant leur voix,
adoré et hué,
Rossini :
la part secrète et la part flamboyante.

ROSSINI

L'opéra et son public

Au début du XIXe siècle, l'opéra représente en Italie bien plus qu'un simple divertissement culturel. C'est d'abord une activité sociale privilégiée. Dans les loges des théâtres, aristocrates et grands bourgeois se retrouvent autant pour suivre la représentation que pour «faire salon». C'est ensuite une véritable industrie. L'année se divise en plusieurs saisons pour chacune desquelles on représente au moins un opéra nouveau – si ce n'est deux.

Scène de ténèbres à la Fenice

Dans la version originale italienne, Mosè in Egitto *s'ouvre sur une «scène des ténèbres» très impressionnante. Cette page n'a rien à voir avec la tradition italienne où prédomine la voix, mais se rattache à l'esthétique grave de l'opéra allemand ou français, ce qui n'empêcha pas l'opéra de devenir l'un des plus grands succès de Rossini. Le récit suivant, tiré du roman* Massimila Doni *de Balzac, fait ressortir une autre qualité de cette scène, moins souvent observée : l'expression de la douleur, qu'y découvre un médecin à l'écoute de l'œuvre.*

Elle se pencha vers le médecin afin de pouvoir lui parler et de n'être entendue que de lui.

– Moïse est le libérateur d'un peuple esclave ! lui dit-elle, souvenez-vous de cette pensée, et vous verrez avec quel religieux espoir la Fenice tout entière écoutera la prière des Hébreux délivrés, et par quel tonnerre d'applaudissements elle y répondra ! [...]

Quand l'orchestre eut fait entendre les trois accords en *ut* majeur que le maître a placés en tête de son œuvre

pour faire comprendre que son ouverture sera chantée, car la véritable ouverture est le vaste thème parcouru depuis cette brusque attaque jusqu'au moment où la lumière apparaît au commandement de Moïse, la duchesse ne put réprimer un mouvement convulsif qui prouvait combien cette musique était en harmonie avec sa souffrance cachée.
– Comme ces trois accords vous glacent ! dit-elle. On s'attend à de la douleur. Ecoutez attentivement cette introduction, qui a pour sujet la terrible élégie d'un peuple frappé par la main de Dieu. Quels gémissements ! Le roi, la reine, leur fils aîné, les grands, tout le peuple soupirent ; ils sont atteints dans leur orgueil, dans leurs conquêtes, arrêtés dans leur avidité. Cher Rossini, tu as bien fait de jeter cet os à ronger aux *Tedeschi*, qui nous refusaient le don de l'harmonie et la science ! Vous allez entendre la sinistre mélodie que le maître a fait rendre à cette profonde composition harmonique, comparable à ce que les Allemands ont de plus compliqué, mais d'où il ne résulte ni fatigue ni ennui pour nos âmes. Vous autres Français, qui avez accompli naguère la plus sanglante des révolutions, chez qui l'aristocratie fut écrasée sous la patte du lion populaire, le jour où cet oratorio sera exécuté chez vous, vous comprendrez cette magnifique plainte des victimes d'un Dieu qui venge son peuple. Un Italien pouvait seul écrire ce thème fécond, inépuisable et tout dantesque. Croyez-vous que ce ne soit rien que de rêver la vengeance pendant un moment ? Vieux maîtres allemands, Haendel, Sébastien Bach, et toi-même Beethoven, à genoux, voici la reine des arts, voici l'Italie triomphante !

La duchesse avait pu dire ces paroles pendant le lever du rideau. Le médecin entendit alors la sublime symphonie par laquelle le compositeur a ouvert cette vaste scène biblique. Il s'agit de la douleur de tout un peuple. La douleur est dans son expression, surtout quand il s'agit de souffrances physiques. Aussi, après avoir instinctivement deviné, comme tous les hommes de génie, qu'il ne devait y avoir aucune variété dans les idées, le musicien, une fois sa phrase capitale trouvée, l'a-t-il promenée de tonalités en tonalités, en groupant les masses et ses personnages sur ce motif par des modulations et par des cadences d'une admirable souplesse. La puissance se reconnaît à cette simplicité. L'effet de cette phrase, qui peint les sensations du froid et de la nuit chez un peuple incessamment baigné par les ondes lumineuses du soleil, et que le peuple et ses rois répètent, est saisissant. Ce lent mouvement musical a je ne sais quoi d'impitoyable. [...]

Aussi le Français éprouva-t-il la plus vive émotion quand arriva l'explosion de toutes ces douleurs réunies qui crient :

O Nume d'Israel !
Se brami in libertà
Il popol tuo fedel,
Di lui, di noi, pietà

(O Dieu d'Israël, si tu veux que ton peuple fidèle sorte d'esclavage, daigne avoir pitié de lui et de nous !)
– Jamais il n'y eut une si grande synthèse des effets naturels, une idéalisation si complète de la nature. Dans les grandes infortunes nationales, chacun se plaint longtemps séparément ; puis il se détache sur la masse, çà et là, des cris de douleur plus ou moins violents ; enfin, quand la misère a été sentie par tous, elle éclate comme une tempête. Une fois entendus sur leur plaie commune, les peuples changent alors leurs cris sourds en des cris d'impatience. Ainsi a procédé Rossini. Après l'explosion en ut majeur, le Pharaon chante son sublime récitatif de : *Mano ultrice di un dio !* (Dieu vengeur, je

te reconnais trop tard!). Le thème primitif prend alors un accent plus vif : l'Egypte entière appelle Moïse à son secours.

Balzac,
Massimila Doni

Contrat entre Gioachino Rossini et Francesco Sforza Cesarini

L'industrie de l'opéra, au début du XIXe siècle, imposait aux compositeurs, mais aussi aux librettistes et aux chanteurs, des conditions de travail qui semblent impensables aujourd'hui.

Par la présente, les partis contractants soussignés établissent ce qui suit :
Le Seigneur Duc Sforza Cesarini, Impresario du susdit théâtre, fait venir pour la future Saison de Carnaval de l'année 1816 le Sieur Gioachino Rossini, Maître de musique, lequel s'engage à composer et à porter à la scène le deuxième opéra buffa, qui sera représenté lors du susdit futur Carnaval, dans le théâtre mentionné, sur le livret, neuf ou vieux, qui lui sera remis par le susdit Seigneur Impresario, dans les premiers jours de janvier, lequel devra être mis en musique en accord avec Messieurs les chanteurs et en tenant compte du caractère de leurs voix, s'engageant en outre à faire tous les changements qui seraient trouvés nécessaires aussi bien pour le succès de la musique que pour la convenance de Messieurs les chanteurs, sur simple demande du Seigneur Impresario, etc.

De même, le Sieur Rossini s'engage à se rendre à Rome et à s'y trouver au plus tard à la fin du mois Xbre de l'année courante, et de remettre au copiste le premier acte parfaitement terminé le 16 du mois de janvier 1816; je dis le 16 janvier de façon qu'il soit prêt pour les répétitions et pour aller en scène le soir indiqué par le Seigneur Impresario, pas plus tard que le 5 février de la susdite année, et le Sieur Rossini devra aussi remettre au copiste en temps voulu le second acte pour qu'on ait le temps de l'apprendre et de faire les répétitions en sorte qu'il puisse aller en scène la soirée désignée ci-dessus, autrement le Sieur Rossini devrait assumer tous les dommages, etc.

De même, le Sieur Rossini s'engage à diriger le susdit ouvrage, et à assister personnellement à toutes les répétitions, toutes les fois qu'il sera nécessaire, aussi bien au théâtre qu'en dehors, suivant les indications du Seigneur Impresario, et pareillement d'assister aux trois premières représentations et de les

diriger au clavecin, etc.

En compensation de son labeur, le Seigneur Impresario s'engage à payer au Sieur Rossini la somme de quatre cents écus romains aussitôt achevées les trois représentations où il doit tenir le clavecin.

Il est aussi convenu qu'en cas d'interdiction, ou de suspension d'activité du théâtre, aussi bien par ordre supérieur que pour tout autre motif malheureux que ce soit, on observera ce qui se pratique habituellement en pareil cas dans les théâtres de Rome ou des autres villes.

En observance de toutes les choses contenues dans le présent contrat, le Seigneur Duc Sforza Cesarini d'une part et le Sieur Gioachino Rossini, Maître de musique, d'autre part, s'engagent eux-mêmes, leurs biens et héritiers, suivant l'usage de la Révérende Chambre Apostolique, à être tenus réciproquement responsables, en cas d'une quelconque défaillance, au dédommagement, suivant le plus rigoureux usage des places étrangères, etc.

Pour être parfaitement conforme, la présente sera signée par le Seigneur Impresario, et une autre semblable par le Sieur Gioachino Rossini.

Enfin, le Seigneur Impresario, pendant la durée du présent contrat, chez le Sieur Luigi Zamboni lui assure le logement.

Rome, 26 décembre 1815,
Théâtre de Torre Argentina
traduit de l'italien par J.-M. Bruson

Au jour le jour

S'il est si difficile de savoir qui fut véritablement Rossini, c'est en grande partie parce que le compositeur s'amusa à brouiller les pistes. Symptomatique de son tempérament est l'histoire de la médaille de Caracalla, destinée à égarer les chercheurs de la postérité. Quoi qu'il en soit, l'arme la plus subtile que se forgea Rossini pour protéger sa vraie nature, fut de donner l'image, tout au long de sa vie, d'un fainéant et d'un jouisseur. Il y réussit au-delà de toute espérance puisque aujourd'hui encore, malheureusement, c'est l'image que l'on retient le plus souvent.

Stendhal, artisan certain de la gloire de Rossini en France, contribua aussi, malheureusement, à répandre la «légende rossinienne», si gravement erronée.

Colbran, Chaumel, Pélissier… et les autres

On peut être surpris de trouver sous la plume de Stendhal, l'un des premiers hagiographes de Rossini, des paroles aussi crues. Qui aime bien châtie bien!

19 avril 1819

[…] Quant au *Barbier*, faites bouillir quatre opéras de Cimarosa et deux de Paisiello avec une symphonie de Beethoven; mettez le tout en *mesure vive*, peu de croches, beaucoup de triples croches, et vous aurez le *Barbier*, qui n'est pas digne de dénouer les cordons de *Sigillara [La Pietra del paragone]*, de *Tancrède*, et de *L'Italiana*. […]

12 juillet 1820

[…] Considérez Rossini comme éteint, il mange comme trois ogres et est gros comme Nourrit de l'Opéra, auquel il ressemble. Il branle ferme Mlle Chomel, car pour f… il fait fiasco. Mlle Colbrand, qu'il divise avec le prince Jablonowski et Barbaglia, est furieuse contre la Chomel que vous avez vue à Louvois. […]

Ma bonne Adeline
Rien ne m'est plus facile que de jetter une pensée sur votre Album, Pensée qui me trotte par la tête, Vous chérir comme une adorable créature, Admirer votre ravissant talent être à jamais votre ami

Mod^to
ça vous va-t-il bien ça ne vous blesse t-il pas

G. Rossini. Paris le 16. Fevrier 1864.

Mio caro amico

22 décembre 1820

[…] Rossini ne fait plus que se répéter ; il est énorme, mange vingt bifteacks par jour, se fait s.c.r par la Chaumel, enf.l. la Colbrand, en un mot un porc dégoûtant.

24 février 1831

[…] On parle de Rossini exactement comme on parlait de Cimarosa à Milan en 1815. Admiration immense sous la condition qu'on ne le jouera pas. […]

Stendhal,
Lettres à Adolphe de Mareste

Olympe Pélissier, seconde femme de Rossini, fut connue sous le nom de «madame Rabat-joie n° 2». C'est Robert, directeur du Théâtre-Italien après Rossini, qui trouva cette expression flatteuse.

Cher Maestro,

Je réponds bien tard à l'aimable lettre que vous vous êtes fait *tanto ardito di scrivermi* ; *Ma che volete carissimo Maestro.* Ce n'est pas ma faute. […]

Votre lettre m'a du reste fait d'autant plus de plaisir que je vois que vous êtes en verve plus que jamais et que la partie de la blague, loin de s'être refroidie, s'est retrempée d'une nouvelle ardeur dans ce bienheureux pays de Bologne, patrie par Excellence de la Blague et des blagueurs. J'en augure que la partie de la gaieté va mieux que jamais. Aussi je compte bien sur votre amitié pour réconforter et consoler cet essaim de Beautés constantes [?] qui se désespèrent, dites-vous, de mon absence et attendent avec tant d'impatience mon retour. Soyez bon Prince cher maestro. Vous ne savez plus comment les apaiser, dites-vous, et parbleu, avez-vous perdu cette clef que vous me confiiez quand j'étais à Bologne ? Vous savez bien, dans cette rue de… pas loin du Palazzo Guidotti. Conduisez-les les unes après les autres dans cette *Casa particolare* et montrez-vous un véritable ami. Mais dépêchez-vous. Car voici Mme Rabat-joie n° 2 qui est en route, et une fois arrivée il vous faudra charrier droit. Gare à vous. En vérité, Maestro, je vous admire, mais je ne vous comprends pas. Vous n'êtes pas content d'avoir

Mme Rabat-joie n° 1 Légitime, à vos trousses, vous faites encore venir de Paris Mme Rabat-joie n° 2, celle-là cent fois plus Rabat-joie et *seccatrice* que l'autre. Mais vous avez donc perdu la tête ! Vous êtes donc l'ennemi de votre repos. Elle est enfin partie le Dimanche gras à une heure après midi et a débuté par casser sa voiture sur le Pont-Neuf. Aussi cette vieille barraque de calèche était chargée comme la plus lourde diligence. Dieu veuille qu'elle arrive à bon port mais je crains bien qu'elle ne se brise à tout moment. On n'a jamais amoncelé tant de caisses et de paquets, surtout du linge de table, chose la plus lourde du monde. J'avais été voir Olympe la veille de son départ et j'avais été épouvanté de l'énorme quantité de choses qu'elle emportait. Il vallait bien mieux faire une caisse du plus lourd et l'envoyer par la diligence ou le Routage. Ç'a n'a pas le sens commun. […]

Vous nous avez laissé en partant deux grandes plaies. La première, *Malek Adel,* qui après nous avoir traîné jusqu'au milieu de janvier a fini par faire un fiasco. Après les trois représentations d'abonnés, personne n'en veut plus. Je croyais que vous aviez fait pour cette partition ce que vous aviez fait pour *Les Puritains* et que vous l'aviez revue en ami ; mais il paraît que non car vous auriez certainement forcé cet animal urluberlu de Costa à refaire au moins tout son 1er acte, la plus plate et ennuyeuse chose du monde. Il a encore eu l'adresse, celui-là, de ne rien faire de joli, de saillant, d'intéressant pour la Grisi. En un mot, cher Maestro, ce *Malek Adel* est une pauvreté qui nous a porté guignon et une pauvreté assommante de coups de grosse caisse, qui ne cesse de frapper à coups redoublés pendant trois heures et demie de suite !

L'autre plaie, c'est celle de Castil Blaze, qui, fort de toutes vos blagues qu'il

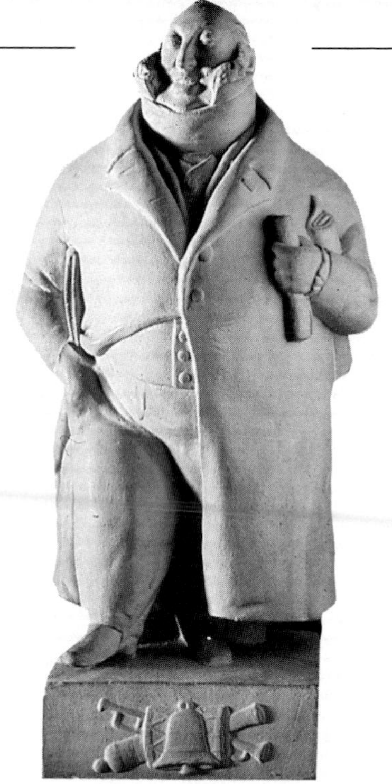

a prises pour argent comptant, est venu nous tomber sur le col avec Sa Damnée *Tarentola*. Nous avons eu une explication vigoureuse dans laquelle je suis monté sur mes grands chevaux et lui ai déclaré que, puisqu'il n'avait pas entièrement changé cette ignoble rapsodie de poème qu'il nous avait lu, et qu'il était toujours question de massacre de Galavar, de mangeaille, de patois provençal et enfin de toutes les saloperies qu'il nous avait lues avec vous, jamais, tant que je serais Directeur, une pareille vilenie [?] ne serait jouée aux Italiens. Il a crié, beuglé que nous l'assassinions, etc. Nous avons tenu bon, alors il s'est résolu à trouver un autre siège pour y appliquer sa damnée musique que vous lui avez mis dans la tête que c'est un chef-d'œuvre (ce dont par parenthèse nous vous avons une belle obligation !) merci bien ! Mais vous fichez de tout cela pourvu que la Blague aille son train.

Robert, lettre à Rossini, 1836, transcription de J.-M. Bruson

Humour caustique de vieillard

Cette lettre illustre parfaitement le détachement qui caractérisa le Rossini de la vieillesse. Détachement par rapport à soi («pianiste de quatrième classe») et par rapport à son œuvre («le chant italien»).

Passy ce 5 octobre1861,
à monsieur Royer, directeur
du Théâtre impérial de l'Opéra
Monsieur et ami

Après une demande adressée par moi au comité de la Société des Concerts du Conservatoire de musique, je viens d'obtenir la faveur de faire exécuter un petit morceau vocal de ma composition qui doit être donné par la susdite société pour l'élévation d'un monument en l'honneur et mémoire du savant et célèbre Cherubini. J'ai composé mon morceau pour quatre voix de basses (de haute taille) à l'unisson : son titre est *Le Chant des Titans*, et pour cette exécution il me faut quatre gaillards; je les réclame de vous qui êtes l'heureux directeur.

Voici les noms : Belval, Cazaux , Faure, Obin, *a Perfetta vicenda* !

Comme vous le voyez, je note par ordre alphabétique pour vous prouvez n'avoir point oublié les *Convenienze Teatrali* !!!

Voulez-vous, mon cher M. Royer, me donner une nouvelle marque de votre sympathie, en vous faisant mon interprète auprès de ces messieurs, en les priant, en mon nom, de me prêter leur concours pour l'exécution de mon *Chant des Titans*, dans lequel, rassurez-vous, il n'y a pas la plus petite roulade, ni gamme chromatique, ni trille, ni arpège ; c'est un chant simple, d'un rythme titanesque et un tant soi peu enragé. Une petite répétition avec et tout sera dit.

Si ma santé me le permettait, j'irois bien volontiers (comme il seroit de mon devoir) chez vos vaillants artistes réclamer la faveur que j'ambitionne. Hélas ! cher ami, mes jambes fléchissent autant que mon cœur bondit, et ce cœur vient à l'avance vous témoigner toute sa vive reconnaissance, il guide ma main pour vous réitérer les sentiments de la plus haute estime et l'amitié sincère de :

Votre affectionné
Gioachino Rossini, pianiste de 4e classe

L'écrivain Vladimir Nabokov détestait les critiques, et semait ses romans de fausses pistes pour les égarer… Rossini y avait pensé avant lui ! Témoin, cette lettre de l'architecte de sa maison de Passy.

Cher ami,

Rossini pose demain sa première pierre à Passy à une heure, heure militaire. Si tu pouvais venir, je serais enchanté pour ma part de te voir prendre part à cette petite fête de famille, il y aura un joli petit article à faire.

On demandait à Rossini s'il mettrait une médaille de lui dans les fondations. «J'ai trouvé, a-t-il répondu, une vieille médaille de Caracalla que j'ai eu un instant l'idée de mettre dans la boîte contenant la date. Plus tard, les savants futurs auraient soutenu que Rossini vivait du temps de Caracalla et je me réjouissais d'avance des disputes qui s'en seraient suivies, mais j'ai enfin trouvé une médaille de moi frappée à l'occasion du *Stabat*.»

Viens donc si tu peux.

Tout à toi.

Charles Doussault

Rossini et Wagner

Rossini et Wagner furent les deux plus grands réformateurs de l'opéra au XIXe siècle, et on ne peut rêver personnalités et œuvre aussi opposées. Les deux hommes se connurent, et l'histoire de leurs relations est un feuilleton en plusieurs épisodes.

Rubini, l'un des derniers ténors belcantistes, totalement opposé au futur «Heldentenor» wagnérien.

Le choc des titans

Premier épisode. 1842 : Rossini est à l'apogée de sa gloire, Wagner est encore parfaitement inconnu. La musique italienne, triomphante, lui provoque des allergies. Courageusement masqué derrière un pseudonyme, Wagner déverse son venin sur le Stabat *de Rossini.*

Alors les destins de la France voulurent qu'on se réunît un jour au dôme des Invalides au lieu du Théâtre-Italien, pour entendre l'adoré Rubini et l'enchanteresse Persiani : le ministère de l'Intérieur avait, vu les circonstances, pris la sage décision de faire chanter cette fois le *Requiem* de Mozart au lieu de la *Cenerentola* de Rossini; il arriva donc que nos princesses et comtesses dilettantes eurent, sans s'en apercevoir, tout autre chose à entendre qu'à l'Opéra italien. […]

Le lendemain, on s'en fut chercher le *Requiem* de Mozart, on feuilleta les premières pages; on regarde les vocalises, – on les cherche, – mais : «O Ciel ! c'est une médecine. – Ce sont des fugues ! Dieu ! sur quoi sommes-nous tombées ! – Comment est-ce possible ? Ça ne peut-être ça ! – Et pourtant ! – Par où commencer ? » On se tourmente, – on cherche, cela ne va pas. […]

Vers ce temps-là, il y avait quelque dix ans que Rossini n'avait plus rien fait entendre de lui : il était à Bologne, mangeait des pâtisseries et faisait des testaments. […] Nonobstant, çà et là se répandaient de sombres rumeurs sur l'état d'âme extraordinaire du maestro; tantôt on racontait qu'il était souffrant du bas-ventre, tantôt que son père chéri était mort; – on faisait savoir un jour qu'il allait se faire marchand de poissons, un autre jour qu'il ne voulait plus entendre ses opéras. La vérité était sans

Richard Wagner, à l'époque de la querelle du *Stabat*.

doute qu'il éprouvait le sentiment du repentir et voulait écrire de la musique d'église. L'idée d'accomplir cet acte expiatoire semble lui avoir été suggérée en Espagne.

C'était au cours d'un voyage qu'il faisait avec son bon ami M. Aguado, le banquier parisien; confortablement installés côte à côte dans une magnifique chaise de poste, ils admiraient les beautés de la nature. M. Aguado grignotait du chocolat, Rossini mangeait des pâtisseries. Soudain, il vint à l'esprit de M. Aguado qu'il avait volé ses propres compatriotes dans ses comptes; par pénitence, il se retira le chocolat de la bouche; Rossini ne crut pouvoir mieux faire qu'imiter un si bel exemple, il s'arrêta de manger, et s'aperçut qu'il avait consacré dans son existence trop de temps aux pâtisseries. Tous deux tombèrent d'accord qu'il serait conforme à leur disposition d'esprit de se rendre dans le cloître prochain et d'y faire quelque bonne pénitence; aussitôt dit, aussitôt fait. Le prieur du cloître prochain vint avec bonté au-devant des voyageurs : il leur présenta une bonne cave, d'excellent lacryma-christi et autres bons crus, qui réjouirent nos pénitents de façon extraordinaire. Néanmoins, lorsqu'ils furent dans l'état d'esprit convenable, MM. Aguado et Rossini s'aperçurent qu'ils avaient réellement voulu se livrer à des exercices de pénitence; sans retard, M. Aguado saisit son portefeuille, en tira quelques banknotes et en fit hommage à l'intelligent abbé.

Alors Rossini crut ne pouvoir se dispenser de suivre l'exemple de son ami : il sortit un volumineux cahier de papier à musique, et ce qu'il écrivit dessus en toute hâte n'était pas moins qu'un *Stabat mater* tout entier avec grand orchestre; *Stabat mater* qu'il offrit à l'excellent prieur. Celui-ci donna l'absolution à l'un et à l'autre, après quoi ils retournèrent prendre place dans leur voiture. Mais le digne abbé fut bientôt élevé à de hautes dignités et installé à Madrid, où il ne manqua pas de faire exécuter le *Stabat* de son pénitent, puis de mourir, à la première occasion. [...]

Cet autre éditeur, homme obstiné qui répond au nom de Troupenas, prétendait avoir depuis longtemps des droits de propriété sur ce *Stabat mater*, son ami Rossini les lui ayant lui-même délégués, et cela en échange d'une quantité énorme de pâtisseries. Il ajoutait qu'il possédait cet ouvrage depuis de longues années, et qu'il ne l'avait pas publié simplement parce que Rossini s'était permis d'y ajouter encore quelques fugues et un contrepoint à la septième, ce que le maître n'a pas achevé jusqu'ici, ayant depuis plusieurs années entrepris dans ce but des études qu'il n'a pas encore terminées. L'exécution de ce *Stabat* avait déjà été projetée pour la fête funèbre de l'empereur Napoléon qui eut lieu le 15 décembre 1840 au dôme des Invalides.

Un cri d'horreur et de colère retentit dans tous les grands salons de Paris, lorsque ces faits vinrent à leur connaissance. Comment ? – s'écria-t-on, une composition de Rossini existait ; – on l'avait vue, et toi, ministre de l'Intérieur, tu l'as repoussée ? Tu as osé, à sa place, nous faire avaler le *Requiem* de Mozart ?

La lutte des partis continue de gronder autour de ce *Stabat mater* plein de mystère, d'autant plus violente qu'il est encore question des fugues promises par Rossini. Enfin, cette espèce mystérieuse de composition pourra avoir droit de cité dans les salons des hauts dilettantes ! Enfin, ils verront ce qu'il en est de ces plaisanteries qui leur tournèrent la tête dans le *Requiem* de Mozart ! Enfin, ils pourront se vanter de chanter des fugues, et ces fugues seront si gentilles, si aimables, si délicates, si ravissantes ! Et ces petits contrepoints ! Ils seront plaisants au possible. Ils sembleront des dentelles de Bruxelles et fleureront le patchouli. – Mais quoi ! aurions-nous le *Stabat mater* sans ces fugues ni ces petits contrepoints ? Quelle honte ! Non, nous attendrons que M. Troupenas reçoive les fugues. – Ciel ! – voici que le *Stabat* arrive d'Allemagne : tout prêt, relié sous sa couverture jaune. – Il y avait des éditeurs qui prétendaient avoir envoyé dans ce but de précieuses pâtisseries à Rossini : la lutte n'aura donc pas de fin ? L'Espagne, la France et l'Allemagne se battent autour de ce *Stabat*, – procès, bataille, tumulte, révolution, horreur !

Valentino [pseudonyme de R. Wagner], *Neue Zeitschrift für Musik*, janvier 1842

Deuxième épisode. Wagner, devenu célèbre, rend visite à Rossini, qui témoigne d'un grand respect pour son jeune confrère. Au cours de leur rencontre, ils débattent de points de théorie sur l'opéra. Le dialogue qui suit, reproduit par un ami belge de Rossini, et publié à l'aube du XXe siècle doit cependant être lu avec quelque réserve.

ROSSINI : Et dites-moi, quel a été, dans votre esprit, le point de départ de ces réformes ?

WAGNER : Leur système ne s'est pas développé d'emblée. Mes doutes se rapportent à mes premiers essais qui ne me satisfont pas ; et c'est plutôt dans la conception poétique que dans la conception musicale que le germe de ces réformes s'est d'abord révélé à mon esprit. Mes premiers travaux, en effet, avaient surtout un objectif littéraire. Préoccupé ensuite des moyens à combiner pour en élargir le sens par l'adjonction si pénétrante de l'expression phonique, je déplorais combien l'indépendance où se mouvait ma pensée

dans le domaine idéal, s'amoindrissait devant les exigences imposées par la routine à la forme du drame musical. Ces *aria di bravura*, ces duos insipides fatalement fabriqués sur le même modèle, et combien d'autres hors-d'œuvre qui sans raison interrompaient l'action scénique ! puis les septuors ! car dans tout opéra qui se respectait, il fallait le septuor solennel où les personnages du drame, délaissant l'esprit de leur rôle, se mettaient en ligne devant la rampe – tous réconciliés ! – pour venir d'un commun accord (et souvent quels accords, grand Dieu !) débiter au public, un de ces poncifs fades....

ROSSINI *(l'interrompant)* : Et savez-vous comment nous appelions cela de mon temps en Italie ? Le rang des artichauts. J'avoue que je sentais parfaitement le ridicule de la chose. Cela me faisait toujours l'effet d'une bande de *facchini*, venant chanter pour obtenir un pourboire. Mais que voulez-vous ? C'était la coutume ; une concession qu'il fallait faire au public, sinon on nous eût jeté des pommes cuites... et même de celles qui ne l'étaient pas !

WAGNER *(continuant sans prêter grande attention à l'interruption de Rossini)* : Et quant à l'orchestre, ces accompagnements routiniers... incolores... répétant obstinément les mêmes formules sans tenir compte de la diversité des personnages et des situations... en un mot, toute cette musique de concert étrangère à l'action, n'ayant d'autre raison pour se trouver là que la convention, musique qui en maints endroits obstrue les opéras les plus réputés... tout cela m'apparut comme étant chose contraire au bon sens et incompatible avec la haute mission d'un art noble et digne de ce nom.

ROSSINI : Entre autres choses, vous venez de faire allusion à l'*aria di bravura*. A qui le dites-vous ? C'était mon cauchemar. Contenter à la fois l*a prima donna, il primo tenore, il primo basso* !... il y en avait de ces gaillards – sans surtout oublier le terrible féminin du qualitatif – qui s'avisaient de compter le nombre de mesures de leur air, puis venaient me déclarer qu'ils ne le chanteraient pas, parce qu'un autre de leurs camarades avait un air contenant autant de mesures de plus, sans compter un plus grand nombre de trilles, de *gruppetti*...

WAGNER *(gaiement)* : C'était mesuré à l'aune ! il ne restait plus au compositeur que de prendre pour collaborateur de ses inspirations un mètre... à musique.

ROSSINI : Disons alors, tout court, un *ariamètre* ! Ces gens, vraiment quand j'y songe, étaient féroces. Ce sont là les seuls coupables qui, à force de me faire suer de la tête, m'ont de bonne heure rendu chauve. Mais laissons cela et reprenons votre raisonnement...

Celui-ci, en effet, est sans réplique, à ne considérer que le développement rationnel, rapide et régulier de l'action dramatique. Seulement, cette

GUILLAUME TELL,

OPÉRA EN QUATRE ACTES,

REPRÉSENTÉ POUR LA PREMIÈRE FOIS, A PARIS,

SUR LE THÉATRE DE L'ACADÉMIE ROYALE DE MUSIQUE,

LE LUNDI 3 AOUT 1829.

Frontispice du livret de *Guillaume Tell.*

indépendance que réclame la conception littéraire, comment la maintenir dans l'alliance de celle-ci avec la forme musicale, qui n'est que convention ? vous avez dit le mot ! Car s'il faut rester dans l'esprit de la logique absolue, il va de soi qu'on ne chante pas en discourant ; l'homme en colère, le conspirateur, le jaloux ne chantent pas ! *(plaisamment)*. Une exception peut-être pour les amoureux, qu'à la rigueur on peut faire roucouler... Mais encore plus fort : va-t-on à la mort en chantant ? Donc convention que l'opéra d'un bout à l'autre. Et l'instrumentation elle-

même ?... Qui donc, dans un orchestre déchaîné, pourrait préciser la différence de description entre une tempête, une émeute, un incendie ?... toujours convention !

WAGNER : Il est évident, *maestro*, que la convention – et dans une mesure même très large – s'impose, sinon il faudrait supprimer absolument le drame lyrique et même la comédie musicale. Il n'est pas moins indiscutable cependant que cette convention, ayant été élevée au rang de forme d'art, doit être comprise de façon à éviter les excès qui mènent à l'absurde, au ridicule. Et voilà l'abus contre lequel je réagis.

Un opéra, selon ma pensée, étant destiné, par son essence complexe, à avoir pour objet de former un organisme, où se concentre l'union parfaite de tous les arts qui contribuent à le constituer : art poétique, art musical, art décoratif et plastique, n'est-ce pas ravaler la mission du musicien, que de vouloir le contraindre à n'être qu'un simple illustrateur instrumental d'un libretto quelconque, qui lui impose d'avance un sommaire numéroté des airs, duos, scènes, ensembles… en un mot des morceaux (morceaux, c'est-à-dire : choses morcelées, c'est le vrai mot) qu'il aura à traduire en notes; à peu près comme un coloriste qui enluminera des épreuves d'estampes imprimées en noir? Certes, il est de nombreux exemples où des compositeurs, inspirés par une situation dramatique émouvante, ont écrit des pages immortelles. Mais combien d'autres pages de leurs partitions sont amoindries ou nulles à cause du système vicieux que je signale! Or, tant que ces errements dureront, tant que l'on ne sentira pas régner une pénétration réciproque, complète entre la musique et le poème, ni cette conception double fondue d'emblée en une seule pensée, le véritable drame musical ne saurait exister.

ROSSINI : C'est-à-dire, si je vous comprends bien, que pour réaliser votre idéal le compositeur devrait être son propre librettiste ? Cela me paraît pour bien des raisons, une condition quasi insurmontable.

WAGNER *(très animé)* : Et pourquoi? Quelle est la raison qui s'opposerait à ce que les compositeurs, tout en apprenant le contrepoint, fassent en même temps des études littéraires, scrutent l'histoire, lisent les légendes? […]

D'ailleurs, parmi les compositeurs dramatiques, il en est peu, je crois, qui n'aient, à l'occasion, montré d'instinct des aptitudes littéraires et poétiques remarquables; bouleversant ou refondant à leur gré, soit le texte, soit l'ordonnance de telle scène qu'ils sentaient autrement et comprenaient mieux que leur librettiste. Pour ne pas chercher bien loin, vous-même, *maestro* – prenons pour exemple la scène de la Conjuration de *Guillaume Tell* – me

Projet de décor pour *Guillaume Tell*.

direz-vous que vous avez suivi servilement, mot par mot, le texte fourni par vos collaborateurs ? Je ne le crois pas. Il n'est pas difficile, lorsqu'on y regarde de près, de découvrir dans maints endroits des effets de déclamation et de gradation, qui portent une telle empreinte de musicalité (si je puis m'exprimer ainsi), d'inspiration spontanée, que je me refuse à attribuer leur genèse à l'intervention exclusive du canevas textuel que vous aviez sous les yeux. Un librettiste, quelle que soit son habileté, ne saurait – surtout dans les scènes qui se compliquent d'ensembles – concevoir l'ordonnance qui convient au compositeur, pour réaliser la fresque musicale, telle que son imagination la lui suggère.

ROSSINI : Vous dites vrai. Cette scène, en effet, fut d'après mes indications profondément modifiée et non sans peine. [...]

WAGNER : Voilà donc un aveu implicite, *maestro*, qui contient déjà en partie la confirmation de ce que je viens de dire ; il suffit de donner au principe plus d'extension, pour établir que mes idées ne sont pas aussi contradictoires, ni aussi impossibles à réaliser qu'elles pourraient le paraître de prime abord.

J'affirme qu'il est logiquement inévitable que, par une évolution toute naturelle, lente peut-être, naîtra non pas cette musique de l'avenir que l'on s'obstine à m'attribuer la prétention de vouloir engendrer tout seul, mais l'avenir du drame musical, auquel le mouvement général prendra part et d'où surgira une orientation aussi féconde que nouvelle dans le concept des compositeurs, des chanteurs et du public.

ROSSINI : C'est en somme un bouleversement radical ! Et croyez-vous que les chanteurs – pour parler d'abord de ceux-ci – habitués à la mise en évidence de leur talent par la virtuosité, laquelle serait remplacée – si je devine bien – par une sorte de mélopée déclamatoire, croyez-vous que le public habitué, disons le mot, au vieux jeu, finiront par se soumettre à des transformations aussi destructives de tout le passé ? J'en doute fort.

WAGNER : Ce sera assurément une éducation lente à faire, mais elle se fera. Quant au public, est-ce lui qui forme les maîtres ou sont-ce les maîtres qui forment le public ? Encore une constatation dont je vois en vous une illustre démonstration. N'est-ce pas, en effet, votre manière bien personnelle qui a fait oublier, en Italie, tous vos devanciers ; qui vous a acquis avec une rapidité inouïe une popularité sans exemple ? puis, *maestro*, votre influence passant la frontière, ne devint-elle pas universelle ?

Quant aux chanteurs, dont vous m'objectez la résistance, ils devront bien se soumettre et accepter une situation qui, du reste, les élèvera. Lorsqu'ils s'apercevront que le drame lyrique, dans sa forme nouvelle, ne leur fournira plus, il est vrai, les éléments des succès faciles particulièrement dus soit à la force de leurs poumons, soit aux avantages d'un organe charmeur, ils comprendront que désormais l'art exigera d'eux une mission plus haute. Obligés de renoncer à s'isoler dans les limites personnelles de leur rôle, ils s'identifieront avec l'esprit tant philosophique qu'esthétique qui domine dans l'œuvre. [...] De plus, déshabitués des succès éphémères d'une virtuosité fugitive, délivrés du supplice de devoir faire retentir leur voix sur des paroles insipides, alignées en rimes banales, ils s'apercevront combien il leur sera dévolu de pouvoir illustrer leur nom d'une auréole plus glorieuse et plus durable, [...] quand ils joindront une diction irréprochable au prestige d'une déclamation magistrale, pleine de vérité et de noblesse.

ROSSINI : Au point de vue de l'art pur, ce sont là sans doute des vues larges, des perspectives séduisantes. Mais au point de vue de la forme musicale en particulier, c'est comme je le disais, l'aboutissement fatal à la mélopée déclamatoire : l'oraison funèbre de la mélodie ! Sinon comment allier la notation expressive, pour ainsi dire, de chaque syllabe du langage à la forme mélodique, dont un rythme précis et la concordance symétrique, des membres qui la constituent, doivent établir la physionomie ?

WAGNER : Certes, *maestro*, pareil système mis en œuvre et poussé avec une telle rigueur, serait intolérable. Mais si vous voulez bien me comprendre, voici : loin de repousser la mélodie, je la réclame ou contraire, et à pleins bords. La mélodie n'est-elle pas l'épanouissement de tout organisme musical ? Sans la mélodie, rien n'est et ne saurait être. Seulement, entendons-nous : je la réclame autre que celle qui – resserrée dans les limites étroites des procédés conventionnels – subit le joug des périodes symétriques, des rythmes obstinés, des marches harmoniques prévues et des cadences obligatoires. Je veux la mélodie libre, indépendante, sans entraves. Une mélodie spécialisant en son contour caractéristique, non seulement chaque personnage de manière à ce qu'il ne soit pas confondu avec un autre, mais encore tel fait, tel épisode inhérents à la contexture du drame. Une mélodie de forme bien précise, qui tout en se pliant par ses multiples inflexions au sens du texte poétique, puisse s'étendre, se restreindre, s'élargir suivant les conditions exigées par l'effet musical, tel que le compositeur veut l'obtenir.

Et quant à cette mélodie-là, vous-même, *maestro*, vous en avez stéréotypé un spécimen sublime dans la scène de *Guillaume Tell* : «Sois immobile», où le chant bien libre, accentuant chaque parole et soutenu par les traits haletants des violoncelles, atteint les plus hauts sommets de l'expression lyrique.

ROSSINI : De manière que j'ai fait là de la musique de l'avenir sans le savoir ?

WAGNER : Vous avez fait là, *maestro*, de la musique de tous les temps et c'est la meilleure.

Edmond Michotte,
La Visite de Wagner à Rossini, 1902

Troisième épisode. A la mort de Rossini, Wagner fait amende honorable.

[…]Rossini fit sur moi l'impression du premier homme grand et respectable que j'eusse encore rencontré dans le monde des arts.

[…] Rossini est à son temps ce que Palestrina, Bach et Mozart étaient au leur. Si le temps dans lequel ces grands maîtres ont vécu était remarquable par ses espérances, par ses efforts et par sa force originale et créatrice, celui de Rossini doit être jugé d'après les propres expressions du maestro dont il honorait ceux qu'il estimait sérieux et sincères, mais que, selon toute probabilité, il gardait pour lui lorsqu'il se savait épié par les mauvais faiseurs de mots de son entourage de parasites.

Richard Wagner,
«Un souvenir à propos de Rossini»,
in *Le Ménestrel*, 3 janvier 1869

Richard Wagner

Leçon de chant rossinien

*Adieu à l'*urlo francese. *Ce fut Rossini qui implanta en France la tradition du* bel canto, *héritée de l'école des castrats du XVIIIe siècle. La vocalité italienne ne saurait être réduite à une simple virtuosité d'apparat. Elle reposait sur un art du* legato *et de l'improvisation que les chanteurs étudiaient pendant de longues années.*

Marietta Alboni, dans le rôle d'Elena, la Donna del Lago.

Cadences et variations

Ancien récitant à la chapelle de Charles X, Stephen de la Madelaine fut l'un des plus grands théoriciens du chant au XIXe siècle. Les passages qui suivent sont tirés d'une leçon sur un air de Rossini, où sont notées en détail toutes les particularités de style des interprètes des années 1830-1840. Si les observations de l'auteur restent juste, les exemples musicaux qu'il propose dénotent déjà une dérive du goût par rapport à l'original rossinien (1816).

Ici le librettiste avait à peindre le caractère mutin d'une jeune fille dont un tuteur jaloux tyrannise les inclinations. La petite personne est volontaire et difficile à diriger; elle annonce des dispositions à la révolte, qui vont serrer le nœud de l'intrigue, et l'air se trouve empreint d'une nuance de coquetterie enfantine qui fait excuser la résistance et les bravades de la pupille amoureuse. […]

Après un brillant prélude dont les deux périodes résument les principales oppositions de cette charmante scène, la cantatrice fait deux ou trois pas en s'avançant devant le public, et en étendant sa jolie petite main, comme pour recommander le silence et l'attention, tandis que l'autre est tout bonnement dans la poche de son tablier de dentelle.

Ce silence est essentiel; il répand le calme dans la pensée de l'auditoire, qui devient tout oreilles; il solennise en quelque sorte les paroles que la cantatrice va prononcer, et lui donne l'importance d'une communication pleine d'intérêt. […]

La reprise de l'*allegro*, qui est une véritable variation sur les motifs de la première partie, offre à mes souvenirs un inextricable fouillis d'arabesques, dont les brillants dessins affectent toutes les formes de l'ornementation. Mais dans cette plantureuse moisson de notes, l'ivraie n'étouffe que trop généralement le bon grain ; dans cette forêt vierge où s'élancent tant d'admirables produits d'une inépuisable végétation, les lianes et les aristoloches qui encombrent le sol et s'accrochent à toutes les branches, arrêtent à chaque pas la marche du voyageur.

Si l'on veut bien me permettre cette pauvre métaphore, je suis ce voyageur-là, et je vais prendre la hache pour me frayer un passage à travers les immondices de mauvais style qui ont déshonoré et qui déshonorent encore aujourd'hui ces étincelantes mélodies.

Voici quelques fragments de mes plus purs souvenirs. Ce sont toujours les grandes déesses de la vocalisation qui en font tous les frais. Au lieu des mesures suivantes :

prenez celles-ci :

L'exécution de cette période est peut-être plus difficile qu'elle ne le paraît, car elle ne porte point sur le petit passage chromatique dont une simple élève, suffisamment exercée, ne s'inquiétera guère ; mais bien sur le *fa* qui est la note d'arrivée et qui doit avoir la brièveté vigoureuse d'un choc. [...]

Je continue la phrase traditionnelle.

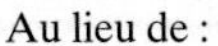
Au lieu de :

demandez ici le concours de la clarinette, si vous êtes à l'orchestre, ou celui de l'accompagnateur, si vous chantez au piano, et produisez ce charmant effet d'ensemble, dont madame Sontag a eu la primeur.

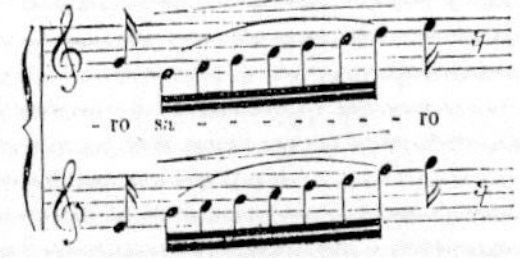

Le pendant de la variation précédente est une sorte de réponse qui prend la période de chant, pour la conduire en bas, au lieu de produire, comme on vient de l'indiquer, un effet tout contraire.

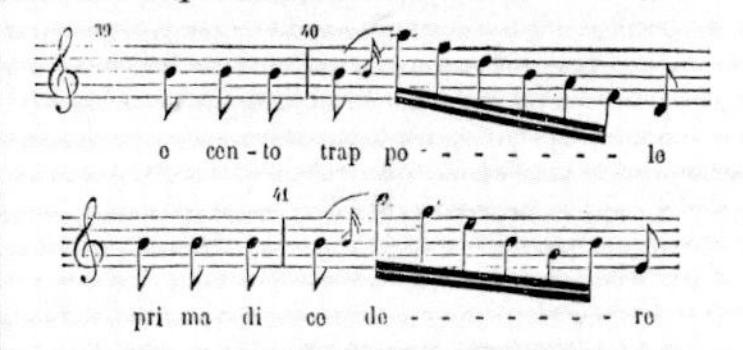

Quant à la quarante-deuxième mesure, qui n'est que la terminaison de la phrase mélodique, on ne peut lui donner qu'une importance très-secondaire.

Madame Damoreau la descendait ainsi :

Madame Sontag la prenait en chromatique, au premier et au troisième temps :

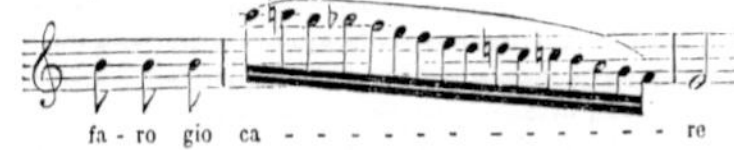

[…] La cantatrice a besoin de reposer sa voix, avant d'aborder la mesure finale, qui va lui demander l'épanouissement complet de la sonorité suraiguë. Pour obtenir cet effet indispensable, il faut simplifier les deux derniers temps; le *si* devient une noire, et le demi-soupir placé devant elle permet de prendre une respiration suffisante. Au lieu de la soixante-deuxième mesure ainsi écrite en double notation, que les artistes, dans le langage imagé des coulisses, appellent «facilité pour les ganaches»,

Ecrivez hardiment :

J'ai dit hardiment, car la première condition d'une bonne exécution, dans ces sortes de passages héroïques, repose entièrement dans l'énergie de l'émission; et, pour que l'émission prenne cette qualité tout à fait essentielle dans l'espèce, comme disent les avocats, il ne faut que la serrer.

Stephen de la Madelaine
Etudes pratiques de style vocal, 1868

La Norma en pantalon

Parmi les excès qui caractérisent la décadence du bel canto *après Rossini (de 1830 à 1850) se trouve la tendance au suraigu. Le concert décrit ci-dessous, réel ou imaginaire, en offre un exemple étonnant.*

Aux Italiens : caricature.

Depuis que le talent court les rues, le prodige est en baisse. Les artistes hors ligne ont porté un rude coup aux artistes hors nature, et les petites merveilles ont tué les grands phénomènes. Il est donc urgent, dans l'intérêt de nos plaisirs, de réhabiliter le prodige sous quelque forme qu'il se présente, et de perpétuer la graine des phénomènes, ne fût-ce que par amour pour les badauds.

C'est ce que fait *Le Sémaphore* de Marseille.

Dans un concert donné ces jours derniers à Marseille, un artiste italien nommé Giovanni, après avoir chanté un air de *La Sonnambula* comme l'aurait pu faire un baryton de l'école de Rubini, avait été fort applaudi. Mais ce n'était là qu'une partie de son mérite, et nous laissons parler *Le Sémaphore* pour raconter le surplus :

M. Giovanni s'est avancé pour chanter le

second morceau de son programme, la cavatine du *Barbier*. Quelle cavatine ? se demandait-on. Qu'on se figure l'étonnement lorsqu'il a, d'une voix de soprano, attaqué l'air de Rosine :

Una voce poco fa.

C'était Mlle Grisi en frac, avec de belles moustaches noires ; Mlle Grisi au masculin.

Les auditeurs de notre sexe, du laid, se parlaient bas à l'oreille; on interrogeait les savants voyageurs qui ont entendu les choristes de la chapelle Sixtine ; mais, ainsi que le remarquaient les plus judicieux, M. Giovanni avait lui-même pris soin de se classer sans équivoque dans la laide moitié du genre humain, en laissant tomber de ses lèvres ombragées virilement, une foule de notes graves et timbrées au coin du *basso cantante*.

L'admiration n'a pas eu assez de bravos pour accueillir M. Giovanni à son troisième morceau du soprano. Et quel morceau ! *Casta diva* ! L'artiste à moustaches, la Norma en pantalon, la prêtresse en bottes, a donné, note par note, toutes les fioritures, les arabesques, les caprices, les casse-cous, les perles mélodiques des Malibran, des Grisi, des Schrœder-Devrient, des Taccani, des Persiani, de toutes les Vellédas, qui ont tenu la faucille d'or. Et notez bien que l'artiste musicalement hermaphrodite n'a jamais été un instant ridicule dans cette audacieuse transformation.

Nous l'avons tous écouté, bouche béante, le croyant femme par nos oreilles, le voyant homme par nos yeux. Il y a eu délire d'acclamations à lui et à elle, un tonnerre de *bravo* et de *brava* ont couvert ses deux sexes d'applaudissements enthousiastes.

Le Ménestrel,
5 avril 1840

Du si bémol considéré sous le rapport musical et philosophique.

Le rôle d'Arnold de Guillaume Tell *fut écrit pour Adolphe Nourrit qui fut le dernier ténor à utiliser le registre de* falsetto *dans l'aigu. Dix ans après la création, le rôle fut repris par Gilbert Duprez, premier ténor à utiliser les sonorités de poitrine jusqu'au* contre-ut. *Le timbre éclatant des aigus de poitrine fit fureur. Le hurlement bovin des ténors romantiques, toujours en usage de nos jours, était né. Nourrit se suicida peu de temps après les premiers succès de Duprez.*

Il y a dans les *Saltimbanques* une scène fort agréable, admirablement rendue par Odry ; cette scène est ainsi conçue :
SOSTHÈNE. — Et moi, M. Bilboquet, qu'est-ce que je vais faire ?
BILBOQUET. — Tu joueras du trombone.
SOSTHÈNE. — Mais je ne sais pas en jouer.
BILBOQUET. — Il ne s'agit que de souffler ; d'ailleurs, tu ne feras qu'une note, toujours la même note, toujours... et les personnes qui aiment cette note seront transportées de joie.

Cette scène comique, digne de nos plus grands maîtres, renferme, à peu de chose près, l'histoire du premier ténor dans les derniers temps. En effet, pour quiconque suit avec attention l'histoire du drame lyrique depuis quelques

années, il est évident que les destinées des théâtres reposent tout entières sur quatre ou cinq phrases, que l'on pourrait à la rigueur réduire à quatre ou cinq notes seulement. Dans *la Juive*, nous avons *la Couronne du martyr*; dans *Robert, les Chevaliers de ma patrie*; dans *les Huguenots, Dieu secourable*; et dans *Guillaume Tell, Malheur à nos tyrans*! Maintenant, en réduisant la chose à sa plus simple expression dans l'ordre progressif, nous avons d'abord un *la* bémol, ensuite un *la* naturel, puis enfin un *si* bémol. Eh bien! quand un ténor est assez heureux pour posséder ces quatre notes, fut-il borgne, bossu, boiteux, au moral comme au physique, il peut se proclamer hardiment un des premiers artistes du monde et compter, en province surtout, sur des succès égaux à ceux de Nourrit, Ponchard, de Duprez et de Rubini. Pour lui, il n'est plus de critique possible, car aux observations qu'on pourrait lui faire, il vous répondrait par le *si* bémol. Oui, le *si* bémol! voilà le grand cheval de bataille, l'épée de chevet de nos ténors modernes! […]

Le nombre des chanteurs exterminés par cette note est incalculable. Dernièrement encore, la *Gazette d'Augsbourg* citait un ténor qui avait disparu dans le lac de Genève, après, une représentation du *Guillaume Tell,* et, bien que cette feuille n'indiquât pas le motif du suicide, on pouvait affirmer sans crainte que l'artiste n'avait eu recours à cette fin tragique et désespérée qu'après avoir manqué son *si* bémol.

Ajoutons que ce ténor était père de famille, qu'il avait une femme et quatre enfants excessivement jeunes.

Maintenant supposez un

fait semblable toutes les années depuis la création de *Guillaume Tell* en 1828, et vous aurez les résultats suivants :

Ténors détruits : 13
Veuves sans ressources : 13
Orphelins dénués de tout : 52
Créanciers des susdits ténors, artistes, machinistes, luminaristes, musiciens, costumiers, limonadiers, débitants de tabac lésés, froissés, renversés et mis sur le pavé par suite des diverses catastrophes provenant du *si* bémol, 300 chaque année : 3 900.
Total des victimes jusqu'à ce jour : 3 978

Après cela, qu'on vienne nous parler encore de la tyrannie de Gessler!

Le Ménestrel,
25 juillet 1841

L'Europe et ses cent cinquante ténors

On a calculé, en prenant une moyenne raisonnable, que les cent cinquante premiers ténors qui desservent tous les théâtres lyriques depuis San Carlo jusqu'au Queen's théâtre de Londres, et depuis le théâtre royal de Lisbonne jusqu'au théâtre impérial de Saint-Pétersbourg, prélèvent chaque année, sur le dilettantisme européen, la somme assez ronde de 7 500 000 francs.

Sous l'Empire, le métier de soldat était le premier métier du monde, aujourd'hui c'est le métier de ténor.

Un conscrit, en arrivant au régiment, avait dans sa giberne le bâton de maréchal de France; un élève de l'école de chant, qui sort d'un conservatoire avec un *ut* de poitrine, emporte dans son gosier cinquante mille livres de rente assurés.

Aussi les ténors ont remplacé les fils de pairs de France pour obtenir la main des héritières les plus richement dotées.

Le Ménestrel,
29 août 1841

Un ré de poitrine

Vous savez la nouvelle? L'*ut* de poitrine est devenu rococo, ganache, perruque. C'était bon pour l'année dernière. Aujourd'hui, nous sommes montés à un autre diapason. Un Titan musical vient d'escalader le *ré*, toujours de poitrine; le *ré* écrase l'*ut*. L'*ut* est mort, hélas! Vous êtes prié d'assister à son convoi : mettez-vous un crêpe à l'oreille et n'en parlons plus.

Je vous ai dit que le *ré* l'avait tué; ce *ré* a été découvert par M. Castil-Blaze; il appartient, ou plutôt il appartenait à un M. Numa, qui a peut-être quelque chose de commun avec le roman de Florian; mais M. Castil-Blaze a voulu naturellement garder pour lui la moitié de sa trouvaille. Il a dit à Numa : mon cher Pompilius, je vous ai découvert un *ré* superbe. Part à deux! A quoi Numa a répondu : Top! sur l'air de *Mathilde.*

Depuis ce jour, M. Castil-Blaze s'est cramponné à la fortune du *ré* de M. Numa : il l'héberge et fait son éducation jusqu'au moment de le produire sur la scène du monde en général, et de l'Opéra en particulier : un notaire y a passé; le *ré* ne peut plus s'en dédire.

Ce serait une chose bien extraordinaire, au milieu de cette averse de basses, de barytons, de ténors, qu'un homme doué d'une extinction de voix. Précisément, je crois avoir découvert ce prodige. J'ai un ami qui n'a jamais pu chanter l'air de *Marlborough*; je lui révélerai sa voix absente; nous en partagerons les bénéfices; on viendra l'entendre par curiosité; je m'attache à sa fortune; ce garçon-là possède une mine d'or dans son gosier.

Le Ménestrel,
28 novembre 1841

Gastronomie rossinienne

Le profil d'un Rossini bon vivant et brillant en société contraste sensiblement avec les informations sur ses terribles maladies. Sa réputation de bec fin et de maître queux n'en apparaît que plus dissonante avec tous ses problèmes d'appareil digestif. Nous ignorons pourquoi ses contemporains furent si impressionnés qu'un musicien de belle renommée soit aussi un amateur d'art culinaire.

Invention musicale et culinaire

Peut-être le prototype du musicien romantique (souffreteux, malingre et complètement extérieur aux plaisirs de la chair) était-il remis en question par ce Rossini organisateur de grandes rencontres musicales et gastronomiques. A y regarder de plus près, plus qu'un inventeur, Rossini était un improvisateur de recettes de cuisine; son activité préférée était d'ajouter quelque élément nouveau à des plats de base, et il s'agit d'avantage d'un pur jeu de «variations sur un thème» que d'une recherche spécifique d'arômes et de saveurs nouvelles. Deux éléments fondamentaux caractérisent le répertoire rossinien : le foie gras et les truffes (noires, suivant la thèse française qui tient les truffes noires du Périgord pour supérieures aux truffes blanches d'Alba, accusées de donner au palais au légère et répréhensible [!] saveur d'ail).

Sa qualité de gastronome semble s'inspirer du célèbre cuisinier Carême, de Paris, même si dans les soi-disant recettes de Rossini on trouve avant tout la trace d'un goût raffiné, plus que d'un véritable art culinaire. Radiciotti cherche à défendre Rossini de l'accusation d'être un gourmet comme si cela pouvait constituer un aspect négatif de sa personnalité; en réalité la plupart des témoignages à ce sujet appartiennent à la dernière partie de sa vie, c'est-à-dire à la période de sa retraite parisienne. Il est compréhensible qu'un Italien éloigné de son pays puisse voir en tout lieu saucissons cuits et fromages frais! Avec quelle ironie Rossini fait allusion aux aliments les plus variés dans les moments les plus inattendus, comme lorsqu'en écrivant la dernière partie du *Stabat Mater* il dit à quelques amis : «Je suis à la recherche de motifs, mais il ne me vient à

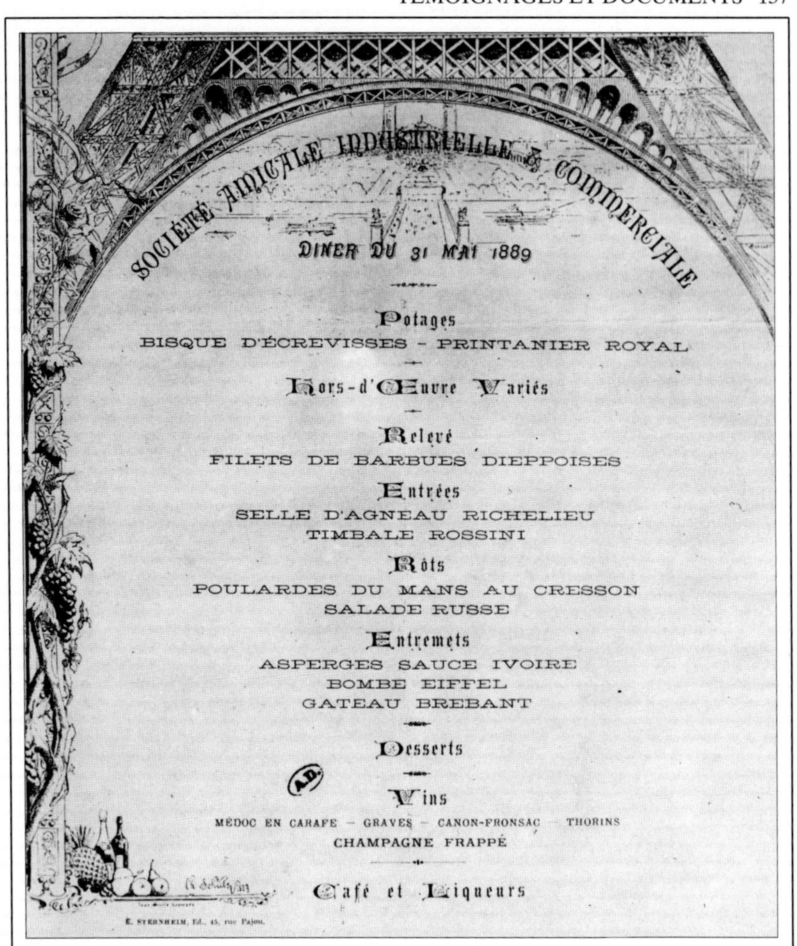

SOCIÉTÉ AMICALE INDUSTRIELLE & COMMERCIALE

DINER DU 31 MAI 1889

Potages

BISQUE D'ÉCREVISSES - PRINTANIER ROYAL

Hors-d'Œuvre Variés

Relevé

FILETS DE BARBUES DIEPPOISES

Entrées

SELLE D'AGNEAU RICHELIEU

TIMBALE ROSSINI

Rôts

POULARDES DU MANS AU CRESSON

SALADE RUSSE

Entremets

ASPERGES SAUCE IVOIRE

BOMBE EIFFEL

GATEAU BREBANT

Desserts

Vins

MÉDOC EN CARAFE – GRAVES – CANON-FRONSAC – THORINS

CHAMPAGNE FRAPPÉ

Café et Liqueurs

E. STERNHEIM, Ed., 45, rue Pajou.

l'esprit que tourtes, truffes et choses du genre.» Il ne serait pas si original qu'un homme pensât à la nourriture pendant qu'il écrit de la musique si l'on n'avait pas une idée particulière des compositeurs. Rossini utilisait un langage choisi pour parler de cuisine et souvent les aliments devenaient des termes de comparaison de la vie quotidienne, comme «les suaves fromages frais qui me sont bien plus chers – jurait-il – que les croix, les médailles et les cordons qui me sont généreusement offerts par divers souverains d'Europe». De là les fréquents croisements de vocabulaire musical et culinaire comme dans la lettre à l'épicier Giuseppe Bellentani de Modène, datée du 28 décembre 1853 :

«Le Cygne dit de Pesaro

«A l'Aigle des charcuteries romagnoles

«Je ne mets pas en musique les éloges que je vous destine puisque comme je vous le dis dans ma précédente, je reste ex-compositeur, dans l'agitation actuelle du monde harmonique. Bien pour moi, mieux encore pour vous! Vous savez jouer de certaines touches qui flattent le palais, juge plus sûr que l'oreille, parce qu'il se fonde sur une extrême délicatesse du toucher qui est le principe de la vitalité. Pour vous plaire, je ne jouerai que d'une seule de ces touches, celle de ma reconnaissance émue pour toutes vos attentions. Je souhaite que cela vous serve de stimulant pour de plus hauts vols qui vous mériteront une couronne de lauriers dont on vous ceindrait bien volontiers.»

«Ahi cotta e vergognasa morte!»

Culture littéraire, mets, musique et facéties se mêlent aussi dans la lettre au marquis Antonio Busca.

«Paris, Passy 15 juillet 1861,

«Le noble de Cotignola au noble Lombard :

«Salut ô magnanime Busca! Ton adorable Papyrus est arrivé en même temps que les éclatantes fleurs de ton jardin de Gorgonzola (jardin préférable de loin au charme d'Armide).
Isaac que tu tiras de terre, le vrai Isaac qui, dans cette époque de mascarade, vit modestement à Paris, sous la dépouille mensongère d'un cygne, est heureux de payer le tribut de la plus chaleureuse reconnaissance du cœur et de l'estomac.
O salut! Je ferai comme celui qui pleure et dit : manger seul les fromages frais de Busca? moi, mourir d'indigestion? Ah quelle mort crue! non, non, je veux dire plutôt : *Ahi cotta e vergognasa morte*! [jeu de mots sur *"crudele"* – "cruelle" en italien –, *"cruda"* – "crue"– et *"cotta"* – "cuite".]»

Dans ce cas comme dans beaucoup d'autres, les derniers mots furent mis en musique; et ainsi le «menu» des intérêts rossiniens est complet.

Aux aliments était réservé le rôle d'ambassadeurs d'amitié, et si Rossini faisait l'objet de cadeaux alimentaires (surtout à l'approche des fêtes de Noël), il n'en était pas moins généreux donateur de mets à ses meilleurs amis :
Je vous ai expédié par la diligence douze fromages frais que vous distribuerez comme suit : à Cristoforo Insom 2, à Gaetano Rasori 2, à Antonio Zoboli 2, à Tonnola 2, au marquis Pizzardi 2. Les deux qui restent pour arriver à 12, vous les garderez pour vous en les partageant, si vous le voulez bien, avec la petite voisine. Vous direz à tous ceux à qui j'envoie les fromages de m'excuser de la petitesse du cadeau et de ne voir que l'intention que j'ai eue. (Lettre à son père du 26 décembre 1837).

Pourquoi tant de place dans ses biographies à un aspect si naturel de sa personnalité? S'il est vrai que Rossini aimait faire de fréquentes allusions aux joies du palais, ce fut peut-être, comme le propose Malipiero, «pour compenser la réserve» sur sa vie amoureuse. Quoi de mieux que de donner en pâture à ses admirateurs des histoires allègres et bien assaisonnées pour dévier les plus curieux de son intimité personnelle. Le goût pour l'anecdote rossinienne, tout en s'appuyant sur des fondements de vérité, semble avoir été relevé avec art par le compositeur lui-même, engagé comme une vedette de notre époque, dans la curiosité avide d'un public toujours assoiffé de nouvelles informations.
Sa réputation internationale ainsi reconsidérée, la gourmandise du musicien de Pesaro en vient à jouer le

rôle d'un amour pour la vie qui passe aussi par la table.

«Schampagne e bordò»

Il ne reste que peu de traces de recettes authentiques de Rossini : une salade, des œufs brouillés garnis de foie gras et de truffes, quelques desserts. Nombreuses sont au contraire les recettes inspirées du compositeur dont le nom était utilisé pour rendre célèbre le plat en un instant. En revanche, Rossini connaissait au mieux l'art d'associer le vin aux aliments, comme en témoignent de nombreux menus manuscrits; d'habitude le nombre des plats tournait autour d'une dizaine (fruits et dessert compris) et la carte des vins (jamais moins de six qualités par repas, parmi lesquelles l'éternel «Schampagne») était toujours riche et d'excellente qualité.

Rossini était un œnologue respectable et il connaissait les problèmes concernant la fabrication et la conservation du précieux liquide. Dans une lettre à son père du 19 mars 1834, après avoir exposé dans les moindres détails la méthode pour clarifier le «Bordò», il s'exprime ainsi :

«Laissez reposer le vin huit jours, ensuite mettez-le en bouteille et qu'il y ait deux doigts de distance entre le bouchon et le vin, car cet air est nécessaire. Quant seront arrivés de Venise les quatre tonneaux, vous les mettrez dans la meilleure case et la moins humide, et vous laisserez reposer le vin huit ou dix jours avant de faire l'opération sus-dite pour le mettre en bouteille. Faites aussi attention en l'embouteillant qu'à la fin du tonneau, il y a toujours deux ou trois bouteilles de vin plus trouble. Avant de mettre définitivement en bouteille ces dernières, il faut les faire passer par un filtre de papier sans colle et accomplir ainsi le travail. [...] Vous voyez, cher Vivazza, que pour boire quelques bouteilles de bon vin il faut dépenser beaucoup d'argent et se donner un mal infini, et attendre au moins six mois que le vin se forme dans les bouteilles.»

Et encore :

«J'ai seulement oublié de vous dire que les bouchons de liège ont besoin d'être mouillés avec de l'eau de vie, avant d'être utilisés, et ceci pour une double raison, la première est qu'il faut humidifier le bouchon pour qu'il ferme la bouteille, la seconde est qu'il faut éviter que le bouchon sec ne donne un mauvais goût au vin, ce qui arrive quelque fois quand celui-là n'est pas de bonne qualité.»

A propos de vin, Radiciotti rapporte un épisode spirituel relatif au baron de Rothschild; celui-ci envoya au compositeur en 1864 du raisin de ses serres, et comme réponse, Rossini lui dit: «Merci, votre raisin est excellent, mais je n'aime pas le vin en pilule.» Frappé par ce billet spirituel, le baron expédia au «Maître un petit baril de son meilleur château-lafitte».

Jusque dans les dernières années de sa vie, Rossini ne perdra jamais l'habitude de jouer avec les mets et la musique comme en témoignent les titres de quelques *Péchés de vieillesse* : *Les Figues sèches, Les Amandes, Les Raisins, Les Noisettes*. Pour Radiciotti, le musicien de Pesaro entendait ainsi «faire la satire de la mode de la musique sirupeuse des soi-disant romantiques» mais peut-on savoir s'il ne s'agit pas des ingrédients d'un dessert autographe encore inédit ?

Fabrizio Scipioni,
traduit de l'italien par Thérèse Bœspflug
In Catalogue de l'exposition
Rossini, 1792-1992, Electa

Dilettantes et anti-dilettantes

Dilettante *est un terme italien ambigu. Il désigne aussi bien celui qui cherche à se «délecter», l'hédoniste, que l'amateur (au sens péjoratif) qui n'y connaît rien. Les rossiniens prirent le nom de dilettantes en raison de la première acception. Leurs adversaires trouvèrent le terme approprié, car ils le comprenaient de l'autre manière. Eux se qualifièrent d'antidilettantes.*

«Giovine di gran genio»

Parmi les journaux de l'époque, le Miroir des spectacles *et* La Pandore *furent d'obédience «dilettante».*

Une affluence considérable s'était portée à la *cinquante et unième* représentation du *Barbier*. Entendez-vous, MM. du Conservatoire, la *cinquante et unième* représentation. Quelques minutes après l'ouverture des bureaux, toute la salle était déjà remplie. Si M. Berton s'était présenté seulement à sept heures un quart, il n'aurait pas trouvé une seule place et se serait vu contraint de renoncer pour une fois au plaisir d'entendre la délicieuse musique de Rossini.

Je ne sais pas si Mme Fodor, si Garcia, Pellegrini et Levasseur ont encore mieux chanté que de coutume; il m'est difficile de dire si le premier orchestre d'Europe a mérité hier plus d'éloges qu'aux cinquante précédentes représentations. Mais l'enthousiasme du public n'avait pas éclaté encore avec autant de force;

Les Verdistes et les Rossinistes n'étant pas d'accord, la bonne harmonie en sera quelque peu troublée.

les vives et parlantes beautés de la plus spirituelle des partitions n'avaient pas encore été entendues avec un sentiment d'admiration aussi prononcé. On eût dit que le charme secret de je ne sais qu'elle [*sic*] opposition doublait pour les spectateurs le plaisir qu'ils goûtent toujours aux représentations du *Barbier*. Des applaudissements prolongés ont éclaté de toutes les parties de la salle lorsqu'en annonçant l'air ravissant de Tancrède *di tanti palpiti*, l'acteur a ajouté qu'il était de Rossini, *giovine di gran genio*. Il m'a semblé qu'il y avait quelque chose d'épigrammatique contre quelqu'un dans cette unanime adhésion du public au juste éloge du compositeur italien, et je ne sais pourquoi, dans cette circonstance, les applaudissements m'ont paru être tout à la fois une louange et une leçon.

L'air de Tancrède, promis par Garcia, et en quelque sorte applaudi d'avance, n'a cependant pas été chanté. On lui a substitué un morceau tiré d'une partition de M. Carafa, compositeur brillant et spirituel qui, à l'exemple de Rossini, préfère l'expression à l'harmonie, et l'effet dramatique à l'effet musical…

Stendhal,
article non signé, *Miroir des spectacles*,
16 août 1821

Un« nouveau compositeur français»

J'étais dernièrement chez l'auteur de cette chronique, M. XXX, ou, pour parler plus clairement, M. Castil-Blaze, qui n'est pas seulement amateur de musique, mais qui est un connaisseur très éclairé […]. «Vous qui aimez tant le genre dramatique de l'école française, me dit alors M. XXX, je vais vous montrer quelque chose qui vous fera plaisir.» Aussitôt il alla chercher un cahier de partitions manuscrites en me disant : «Voici un nouvel opéra français sur lequel je veux avoir votre avis; il est d'un auteur qui vous est fort connu, mais je vous le donnerai en cent à deviner, vous ne devineriez pas. Regardez un peu comme cette partition est habilement remplie, comme les parties intermédiaires s'entrelacent bien, comme les effets d'instruments à vent sont bien distribués; admirez ces imitations pleines de goût et sans pédanterie.»

«Effectivement, lui dis-je, on croirait que c'est l'ouvrage de l'un de nos maîtres fameux et il me semble que parmi eux je vous trouverais bien l'auteur, si votre défi eût été posé autrement, car il n'en est guère que jusqu'à cinq que je pourrais citer.»

Nous ouvrîmes le piano, et nous lûmes tant bien que mal un chœur magnifique qui sert d'introduction, un fort bel air de basse-taille et un duo fort dramatique. Quoique ma voix un peu cassée nuisît singulièrement à l'effet de ces divers morceaux, leur beauté me frappa, et je m'écriai avec transport : voilà qui est beau comme de la musique française! M. XXX qui n'est pas médiocrement plaisant et qui riait sous cape de la petite mystification dont il m'avait fait l'objet, me dit alors. «Mon cher mélomane, vous avez pris cela pour un opéra français, eh bien! apprenez que c'est un opéra italien, et qui plus est, un opéra de Rossini.» Je n'ai pas besoin de dire quelle fut ma surprise; mais cela ne diminua rien de mon admiration.

L'ouvrage dont nous venions de parcourir une partie est le fameux oratorio de *Mose in Egysto* [*sic*], *Moïse en Egypte*, que Rossini a écrit avec plus de soin qu'aucune autre de ses partitions. Il y a même attaché tant d'importance qu'il l'a refait deux fois. M. Castil-Blaze en a parodié le poème en vers français, et c'est là ce qui m'avait trompé. Cet ouvrage de Rossini prouve qu'il peut écrire avec succès dans le genre sévère quand il veut s'en mêler, et qu'il a étudié avec plus de fruit que je ne le pensais les chefs-d'œuvre de notre école française [...] Je n'examinerai point une question assez importante qui se présenterait ici : est-il bien dans l'intérêt de notre scène lyrique que l'on y représente les traductions de M. Castil-Blaze.

Le vieux Mélomane,
Miroir des spectacles,
21 octobre 1821

Rossini est arrivé à Paris. On assure que les trompettes, les trombones, les basses, les contrebasses, les hautbois et les flageolets de la capitale doivent se réunir prochainement pour lui donner un concert où il ne sera joué et chanté que de la musique de sa composition.

La Pandore, 1er novembre 1823

La salle immense de M. Martin, place du Châtelet, avait été décorée avec goût par le plus habile de nos décorateurs. Des médaillons, entourés de guirlandes de fleurs, étaient placés de distance en distance, et sur chacun d'eux était écrit en lettres d'or le titre de l'un des ouvrages du héros de la fête; tous n'y étaient pas. Au-dessus du fauteuil qui lui était destiné, on avait suspendu son chiffre. Au moment de l'arrivée de M. Rossini, un excellent concert d'harmonie, conduit par M. Gambaro, a attaqué l'admirable ouverture de la *Gazza*. Il serait difficile d'imaginer un coup d'œil plus brillant que celui que présentait la table autour de laquelle ont pris place cent cinquante convives. M. Rossini était assis entre Mlle Mars et Mme Pasta. M. Lesueur, placé en face du héros de la fête, avait à sa droite Mme Rossini, et à sa gauche Mlle Georges. Mmes Grassari, Ginti et Demeri venaient ensuite. MM. Talma, Boïeldieu, Garcia, Martin se trouvaient dans ce groupe éclatant de parure et de beauté. Tous les arts, tous les talents y étaient dignement représentés; on y remarquait encore MM. Auber, Hérold Cicéri, Panseron, Casimir Bonjour, Mimaut; Horace Vernet y avait sa place; on y voyait aussi avec plaisir de ces hommes que le soin de plus hauts intérêts et de grandes occupations ne détournent pas des fraternelles réunions des amis des arts.

Pendant le repas, des fragments tirés d'opéras qui étaient dans la mémoire de chacun se succédaient de temps en temps; ils étaient écoutés avec une attention presque sans exemple dans ces sortes de circonstances. C'était un digne hommage rendu à leur auteur.

La Pandore, 18 novembre 1823

Le vandalisme italien

De la musique mécanique et de la musique philosophique, le plus célèbre pamphlet antirossinien, fut écrit par Henri-Montan Berton. Le texte suivant, moins connu, est tout aussi explicite.

Vous étiez à Paris; mon cher ami, lors de l'arrivée de Rossini, et je me souviens d'avoir bien ri avec vous de ce redoublement de dilettantisme, de ce paroxisme de fièvre italienne, qui s'empara de toutes les têtes; le délire fut plus fort qu'à la première apparition des Bouffons en 1752, et que pendant la guerre de la musique, en 1778; il eût été dangereux dans le moment de l'accès, et pendant une représentation de la *Gazza* ou du *Barbiere*, de prononcer dans la salle de Louvois le nom de Boyeldieu, de Berton, de Méhul ou de d'Alayrac; et vous fûtes obligé de vous cacher une fois dans une baignoire des Bouffons, de peur qu'étant reconnu pour un compositeur français, on ne vous immolât à la gloire de Rossini, comme ce pauvre Orphée dans les forêts de la Thrace. Les partitions des grands maîtres de notre école n'étaient plus que des rapsodies nauséabondes, des compositions décrépites, qui sentaient l'enfance de l'art ; elles étaient devenues l'objet des sarcasmes et du mépris de tous les fanatiques de l'orchestre de Louvois, qui ne donneraient pas même aujourd'hui un point d'orgue de Rossini, pas un coup de timbale du *Maometo*, pour toute la partition de la *Dame blanche*.

Le moment de porter le dernier coup à l'Opéra était arrivé ; il a été préparé de loin, mais l'effet n'en a été que plus sûr. On a commencé avec *Le Siège de Corinthe*, on a fini avec le *Moïse*. Il a fallu d'abord amener à l'Opéra français quelques acteurs italiens. Mademoiselle Cinti, madame Mori et Levasseur sont venu y introduire le goût et la méthode italienne. On a persuadé à Dabadie, à sa femme et à Adolphe Nourrit qu'il fallait, pour l'ensemble de la représentation, qu'ils changeassent leur large et belle méthode de chant contre les agréments bizarres, les éternelles roulades, les assomants ports de voix et les *fioriture* des chanteurs italiens ; qu'il fallait sacrifier l'expression dramatique à l'expression musicale ; oublier la situation pour s'occuper de points d'orgue, et négliger la déclamation tragique pour arrondir les bras et tendre le cou vers les quinquets. Qu'est-il résulté de ce burlesque travestissement ? C'est qu'il a tourné à la honte des chanteurs italiens ; c'est que, dès le premier essai, Adolphe Nourrit, Dabadie et sa femme ont surpassé, par l'éclat, le brillant et la pureté de leur exécution, tous les meilleurs chanteurs de l'Italie ; mais il

n'en est pas moins réel que l'Académie royale de musique a été déshonorée, que l'*Opera seria* a fait acte de possession sur le domaine de Lulli et de Quinault ; qu'un *libretto* a pris la place d'un poème, et qu'on nous a donné pour un opéra un *pasticcio* composé d'admirables morceaux de musique sans suite, sans liaison, sans rapport et sans cohérence.

Le vandalisme italien est venu frapper de son marteau un des plus beaux monuments de Louis XIV. A présent, au lieu de nos poèmes si dramatiques, si riches de poésie, si touchants de situations, si brillants de spectacle, on va nous donner des canevas jetés dans un même moule, où nous verrons constamment succéder à une *aria patetica*, une *aria di bravoura* ; à *una aria parlante*, une *arietta di mezzo caractere;* enfin, l'*aria brillante*, l'*aria di tranbusto*, et tous les genre d'ariettes produits par le génie fantasque des compositeurs italiens.

Le plus fort est fait, mon cher ami; prenons-en notre parti, la ruine de l'Académie royale de musique est consommée : on y a laissé introduire les acteurs italiens, les *libretti* italiens; la méthode italienne, les compositeurs italiens; il n'y a plus qu'un pas à faire, c'est d'y chanter en italien; et après avoir fait placer le ridicule clavecin obligé dans l'orchestre, il ne restera qu'à écrire en lettres d'or, sur le portique de l'Opéra : *Teatro italiano del signor Rossini*, et le grand œuvre sera consommé. [...]

Jean-Toussaint Merle,
Lettre à un compositeur français sur l'état actuel de l'opéra,
Paris, 1827

Une représentation d'*Otello* vers 1820.

Diplôme de dilettantisme

Les dilettantes vus par leurs adversaires : «une foule de badauds dont les deux tiers ne connaissent pas une note de musique», «des fous qui courent entendre dix fois de suite le même opéra»... C'est assez méchant, mais ça n'est pas complètement faux.

Qu'on vienne dire encore que les génies de tous les pays n'ont pas une sympathie secrète qui les entraîne à se chercher et à se deviner. M. Rossini, que nous n'oserons pas appeler le *Plaisir* de la musique, était à peine arrivé que, sentant le besoin de dégager sa tête d'un superflu de cheveux, il fit appeler pour s'en débarrasser le fameux *Plaisir* qui est bien certainement le Rossini de la coëffure. Celui-ci, qui est en même temps le coëffeur le plus rossiniste qui ait jamais existé, a conservé toutes les rognure de cette précieuse chevelure, et se propose, dit-on, de délivrer une mèche à chacun de ceux qui pourront lui présenter un diplôme du *dilettantisme* le plus pur. On parle déjà de monter des épingles et des bagues de ces boucles, et l'on assure même que M. Plaisir a fait par provision, et seulement pour commencer, l'emplette d'environ soixante livres de cheveux-Rossini; ainsi, quand il n'y en aura plus, on voit qu'il sera facile de s'en procurer encore».

Courrier des théâtres, 15 novembre 1823

Otello attire toujours beaucoup de monde. On prétend que cela répond à

tout, et que l'empressement du public réfute victorieusement la critique. Mais est-ce le public qui va aux Bouffes ? Les fous sont en assez grand nombre, et les *dilettanti*, qui courent entendre dix fois de suite le même opéra, peuvent bien remplir pendant quelques temps la salle Louvois. On félicite encore Rossini de secouer les règles de l'ancien régime musical, comme si les arts d'imitations, la simplicité des anciens modèles, n'étaient pas le seul moyen d'être toujours neuf en étant toujours vrai. Les autres compositeurs, ajoute-t-on, font de la musique, mais Rossini fait de l'esprit. N'est-ce pas qu'on peut dire de plus fort contre lui ? Quel est le but de la musique et de tous les beaux-arts : d'exprimer les sentiments et les passions, qui sont toujours les mêmes, de la manière la plus naturelle. Celui qui approche le plus de la nature, remporte le prix de son art. Si au lieu de cela vous voulez faire de l'esprit, tous vos ouvrages auront quelque chose de faux, et n'atteindront jamais à cette hauteur divine des grands modèles. Dans les arts l'esprit tue le génie, et voilà pourquoi Voltaire, sans rival dans la poésie légère et dans tous les genres où l'esprit doit dominer, n'est que le troisième de nos poètes tragiques.

Henri-Montan Berton,
article non signé,
L'Abeille, 1821

Première représentation d'Otello

La foule se porte aux Bouffes, et ce n'est pas pour entendre madame Fodor ; mais Rossini suffit pour l'attirer. *Torvaldo e Dorliska* avait un peu obscurci l'éclat de ce brillant météore ; mais le succès d'*Otello* vient de fermer la bouche à ses détracteurs. Il a prouvé que l'auteur du *Barbier de Séville* savait passer du *plaisant* au *sévère*, et quelle meilleure preuve en donner que le choix du sujet le plus tragique et le plus noir qui soit sur la scène ? Au milieu de ce fracas de louanges, la critique pourra-t-elle se faire entendre ? Sera-t-il permis de trouver dans cette composition beaucoup de bruit, et peu de vérité, des cris, des ornements de mauvais goût ? Othello sous le turban d'Orosmane, est, malgré son petit accès de jalousie turque, aussi galant, aussi aimable qu'un chevalier français. Qu'on se figure ce monstre d'Afrique changé en chanteur italien, faisant le dameret et criant quelquefois, pour qu'on se souvienne que c'est un opéra séria ; ce n'est point là de la tragédie lyrique. J'y cherche en vain quelqu'un de ces accents qui me remuent

Garcia dans *Otello*.

si fortement aux chefs-d'œuvre de Gluck et de Sacchini. Je ne sais si l'on me pardonnera ces blasphèmes; Rossini est un dieu, et ses adorateurs sont des fanatiques. Il compte plus de chefs-d'œuvre que d'années, et plus d'enthousiastes encore que Lord Byron. Mais comme je trouve les ouvrages du compositeur italien aussi romantiques, c'est-à-dire aussi faux, que ceux du poète anglais, je demanderai la permission de ne pas admirer l'un plus que l'autre, et de préférer un peu de l'or de Mozart à tout le clinquant de Rossini.

On prétend que l'espagnol Garcia est aussi bon acteur que chanteur dans Otello. La moitié de cet éloge est exagérée. Son jeu me paraît plus forcé qu'énergique. Madame Pasta joue Desdémone. Sa voix, fort étendue, mais sourde et voilée, n'est pas toujours juste. Son morceau le plus remarquable est la romance du Saule. Quelques amateurs s'obstinent à se rappeler encore celle que Grétry composa pour l'Othello de Ducis. Madame Rossi a montré dans un rôle secondaire un talent qu'on voudrait trouver chez plus d'une prima donna. Ce qui me fait le plus de plaisir c'est la belle voix de Levasseur dans Elmiro.

L'Abeille, 1821

Rossini à Paris, folie vaudeville

Tout le monde sait avec quels transports cette foule de badauds *dilettanti*, dont les deux tiers ne connaissent pas une note de musique, ont appris l'arrivée à Paris de l'auteur de *Il Barbiere di Siviglia*, d'*Otello*, de *Tancredi*, etc. Vers, couronnes, fêtes, repas, on a tout prodigué à ce brillant compositeur. Dans leur enthousiasme niais, ces *dilettanti* de hasard ont oublié que nous avions des compositeurs français qui ont aussi des droits à notre admiration.

Cet enthousiasme à froid était du ressort de la critique : il devait être voué au ridicule; et le célèbre compositeur, qui en est l'objet sans doute, bien malgré lui, a dû applaudir hier, comme tout le monde, à la manière originale avec laquelle MM. Scribe et Mazère ont présenté avant-hier sur la scène du Gymnase une foule d'imbéciles qui, ayant fait préparer un grand dîner où doit se trouver Rossini, prodiguent leurs éloges, leur admiration à un personnage qu'ils prennent pour l'auteur de *Il Barbiere di Siviglia*. Les auteurs de la pièce nouvelle ont mêlé avec adresse l'éloge de Rossini à celui des musiciens français dont notre scène s'honore. Beaucoup d'esprit, des traits gracieux, satiriques, quelques-uns de mauvais goût et de mauvais ton, de très-jolis couplets, pas de pièce, mais beaucoup de gaîté : voilà ce qu'on trouve dans *Rossini à Paris*.

Gazette de France,
2 décembre 1823

Partition manuscrite de Rossini : trio de l'acte II d'*Otello*.

Les antidilettantes vus par leurs adversaires : des «idiopatriotes», citoyens de l'Idiopatrie, «petit état de l'Asie Mineure […] qui n'estime que lui seul». Dans le plus pur style des Lettres persanes *de Montesquieu, une critique qui fait mouche!*

[…] Ce furent des hommes qui appartenaient à la même race qui ne voulurent pas qu'on se servît de la poudre à canon dans l'armée française à la bataille de Crécy […], qui trouvèrent pendant quelques temps l'imprimerie un moyen incommode de multiplier les livres […].

Dans le parlement il firent un arrêté contre la circulation du sang; dans la Sorbonne ils poussèrent un cri d'indignation contre le système de Copernic […].

Récemment ils se sont montrés les ennemis implaccables de l'enseignement mutuel; ils ont essayé en vain de souffler sur le gaz hydrogène. Aujourd'hui ils veulent proscrire la musique de Rossini.

La Pandore,
16 novembre 1823

La renaissance rossinienne

L'actuel retour des opéras de Rossini sur la scène est le fruit des efforts concertés des interprètes et des musicologues. Efforts couronnés par l'accueil triomphal du public contemporain.

Après la mort de Rossini (1868), pendant un siècle environ, la plupart des œuvres du compositeur disparurent presque complètement du répertoire théâtral. En outre, Rossini fut considéré à l'unanimité comme un compositeur éminemment comique – en un mot : le compositeur du *Barbier*. Mais, dans l'après-guerre, la production théâtrale rossinienne, en particulier dans le genre *serio*, fut l'objet d'une redécouverte et d'une reconsidération qui ont fait parler d'une vraie «Rossini-Renaissance». Ce phénomène s'est développé d'une façon comparable aux nombreux crescendos d'orchestre de notre compositeur : commencé d'une façon étouffée, il s'est amplifié constamment jusqu'à l'enthousiasme explosif des dernières années. Ce retour triomphal de la production rossinienne dans le répertoire théâtral mondial est étroitement lié à deux faits non moins importants : la renaissance de la pratique exécutive et le renouveau de l'intérêt de la part des musicologues. En ce qui concerne les exécutions, l'apport d'une génération d'interprètes finalement capables d'affronter de façon satisfaisante ce répertoire, a été fondamental; tout le monde se souvient du nom de Marilyn Horne. Après des générations de chanteurs qui n'exécutaient que la moitié des notes, de nouveaux interprètes ont acquis des techniques et des compétences musicales qui leur ont permis de respecter à la lettre le texte, et, à l'occasion, de ne pas le respecter, lorsque le texte est pris comme base pour des variations, selon l'usage de l'époque. Il est ainsi apparu clairement que la *coloratura* pouvait être un moyen musical expressif et efficace au théâtre.

A la renaissance de cette pratique exécutive est lié le retour aux textes originaux. Déjà à la fin des années soixante, les textes de quelques opéras de Rossini ont été revus à partir des sources; dans la décennie suivante, la Fondation Rossini, de Pesaro, a lancé un projet d'édition critique de toutes les œuvres du compositeur. Une dizaine de volumes de cette édition ont déjà été imprimés, et plusieurs autres sont dans un état plus ou moins avancé d'élaboration : beaucoup sont déjà disponibles sous forme de matériel d'exécution. L'édition a par ailleurs suscité une série de recherches sur les sources rossiniennes qui ont donné souvent des résultats notoires (le cas le plus connu est celui de la découverte de l'intégralité de la musique du *Viaggio a Reims*, une œuvre que l'on croyait complètement perdue). Les visées immédiates de l'édition critique sont de mettre à la disposition des spécialistes et du public des partitions aussi proches que possible de la version «authentique» des compositions rossiniennes. S'il est généralement difficile d'établir ce que l'on entend par texte «authentique», une telle définition est presque désespérée pour l'opéra italien de l'époque de Rossini. Tant de travaux sont nés dans des conditions d'extrême hâte (et les autographes mêmes de Rossini mettent en évidence la main de collaborateurs auxquels le compositeur avait recours par manque de temps). En outre, les contraintes du théâtre comportaient presque toujours modifications et révisions – tantôt de la main du compositeur, tantôt d'autres – ce qui, dans de nombreux cas, empêche d'établir une fois pour toutes telle ou telle version comme texte définitif (sans parler des interventions et des mutilations pratiquées à des époques successives).

En général, le label d'authenticité a été accordé aux sources qui remontent à des exécutions auxquelles participait activement le compositeur, qu'il s'agisse de la première d'un opéra, ou de reprises. Au cas où plusieurs versions différentes seraient considérées comme également «authentiques», l'édition critique les inclut toutes, en mettant ainsi à la disposition des exécutants les matériaux qui leur permettront de faire un choix. Par exemple, une fois retrouvée la musique du finale tragique de *Tancredi*, perdue jusqu'il y a quelques années, l'édition critique a été en mesure d'offrir aussi bien le *lieto fine* de la première vénitienne que ce finale de la mis en scène de Ferrare. Ainsi l'édition critique laisse aux interprètes la décision d'exécuter l'une ou l'autre version.

Les éditions sont conçues de façon scientifique, mais en même temps, elles sont imprimées en tenant compte de facteurs pratiques : elles devront être utilisables comme des matériaux d'exécution à l'usage du théâtre et de la salle de concert. La fondation Rossini se flatte d'ailleurs d'avoir établi d'étroites relations avec le monde du théâtre à travers son activité musicologique. Le meilleur exemple est la naissance du Rossini Opera Festival de Pesaro (indépendant de la Fondation Rossini, mais collaborant avec elle) qui a permis de produire sur scène les œuvres nouvellement «restaurées» par l'édition critique, de discuter avec leurs interprètes les solutions d'exécutions, et de trouver une réponse devant un public international toujours plus compétent et enthousiaste. La diffusion de ce répertoire, stimulée encore par le bicentenaire de la naissance de Rossini (1792) est maintenant un phénomène de portée internationale. Mais ici on passe de l'histoire à la chronique.

Stefano Castelvecchi,
traduit de l'italien
par Thérèse Bœspflug

BIBLIOGRAPHIE

Ouvrages en langue française

L Dauriac : *Rossini, biographie critique*. Paris, 1907.
A. Duault et M. Pazdro : *Le Barbier de Séville, La Cenerentola, Le Conte Ory / Il Viaggio a Reims, La Gazza ladra, Guillaume Tell, Le Siège de Corinthe*. L'Avant-scène Opéra.
R. Mancini : *Rossini*. Fayard, 1993.
Stendhal : *Rome, Naples et Florence*. Paris, 1817.
Stendhal : *Vie de Rossini*. Paris, 1824; Gallimard, édition de Pierre Brunel, coll. Folio, 1992.

Ouvrages en anglais et en italien

Br. Cagli et S. Ragni : *Epistolario di Gioachino Rossini*. Fondazione Rossini, 1992-
Ph. Gossett : *The Operas of Rossini, Problems of Textual Criticism*. Princeton University, 1970.
Ph. Gossett éd. : *Edizione critica delle opere di Gioachino Rossini*. Fondazione Rossini, 1979-
R. Osborne : *Rossini*. Weidenfeld and Nicholson, 1986.
L. Rognoni : *Rossini*. Einaudi, 1968.
F. Toye : *Rossini, a Study in Tragi-comedy*. Norton, 1963.
H. Weinstock : *Rossini, a Biography*. Knopf, 1968.

DISCOGRAPHIE

OPERAS

Aureliano in Palmira, Orchestre du Théâtre de l'Opera Giocosa de Gênes, dir. G. Zani, Ars nova AVST 36 220.
Il Barbiere di Siviglia, Orch. symph. de Londres, dir. Cl. Abbado, DGG 2720 053.
La Cenerentola, Orch. symph. de Londres, dir. Cl. Abbado, DGG 2709 039.
Le Comte Ory, Chœur et orch. de l'Opéra de Lyon, dir. J. E. Gardiner, Philips 422 406-2.
Demetrio e Polibio, Orch. des jeunes de l'Opéra Braga, dir. B. Rigacci, Bongiovanni GB 2001/2.
La Donna del lago, Chamber Orch. of Europe, dir. M. Pollini, CBS-Sony I3M 39311.
Elisabetta, regina d'Inghilterra, Orch. Philharm. de Londres, G. Masini, Philips 6703 067.
Ermione, Orch. Philharm. de Monte-Carlo, dir. Cl. Scimone, Erato ECD 75336.
Guillaume Tell, Royal Philharm. Orch., dir. L. Gardelli, VSM 165-02403.
L'Italiana in Algeri, Capella coloniensis, dir. G. Ferro, CBS-Sony, M3 39048.
La Gazza ladra, Royal Philh. Orch., dir. A. Zedda, Italia ITL 70056.
Maometto II, Philh. Orch., dir. Cl. Scimone, Philips 412 148-2.
Mosè in Egitto, Philh. Orch., dir. Cl. Scimone, Philips 6769 81.
Otello, Philh. Orch, dir. J. Lopez-Cobos, Philips 6769 023.
La Pietra del paragone, Chœur et Orch. de la Scala de Milan, dir. N. Sanzogno, CETRA DOC.
La Scala di seta, Orch. du th. comm. de Bologne, dir. G. Ferro, Ricordi/Fonit Cetra, RFCD 2003.
Semiramide, Orch. symph. de Londres, dir. R. Bonynge, Decca 390 040.
Tancredi, Capella Coloniensis, dir. G. Ferro, Italia ITL 70070.
Il Turco in Italia, Académie de St. Martin in the Fields, dir. N. Marriner, Philips 434 128-2.
Il Viaggio a Reims, Chamber Orchestra of Europe, dir. Cl. Abbado, DGG 415 198-2.
Zelmira, I solisti veneti, dir. Cl. Scimone, Erato 2292-45419-2.

MUSIQUE RELIGIEUSE

Messa di Gloria, Academie de St. Martin in the Fields, dir. N. Marriner, Philips 434 132-2.
Petite Messe solennelle, Ensemble vocal de Lausanne, dir. M. Corboz, Erato ECD 75466.
Stabat mater, Chœur et orch. symphonique de Londres, dir. I. Kertesz, Decca 411 905-1.

MUSIQUE DE CHAMBRE

Péchés de vieillesse, compositions pour piano, Bruno Mazzena, Ricordi ARCL 32 7003
Péchés de vieillesse, pièces vocales, le Lieder Quartett, Ch. Ivaldi, Arion ARN 38600
Sonates à quatre, Accardo, Gazeau, Meunier, Petracchi, Philips 6769 024

TABLE DES ILLUSTRATIONS

31 Eventail de *Tancredi,* gravure. Bibliothèque nationale/ Opéra Garnier, Paris.
32b Mme Persiani dans le rôle d'Amenaïde, dans *Tancredi,* gravure. Bibliothèque nationale/ Opéra Garnier, Paris.
32h Giudita Pasta dans *Tancredi*, gravure anonyme. Bibliothèque nationale/ Opéra Garnier, Paris.
33b Vue de Ferrare, lithographie de Fayolle, début XIXe s. Bibliothèque nationale, Paris.
33h Portrait de Rossini jeune, gravure, 1815. Bibliothèque nationale/ Opéra Garnier, Paris.
34h Portrait de Domenico Barbaja, huile anonyme. Musée du théâtre de la Scala, Milan.
34b Portrait de Gaetano Donizetti, aquarelle de Mongen, 1840. Collection Rocco, Rome.
35h Intérieur du théâtre de la Scala, huile anonyme, vers 1817. Musée Condé, Chantilly.
35b Vue de la baie de Naples, gouache anonyme. Collection particulière.
36h Portrait du compositeur Nicolo Zingarelli, gravure, in la revue *La Moda.* Bibliothèque nationale/ Opéra Garnier, Paris.
36b Vue du Pont Ghiaja à Naples. lithographie anonyme, début XIXe s. Bibliothèque nationale, Paris.
37 *Via Toledo à Naples,* huile de G. Gigante, vers 1820. Musée national San Martino, Naples.
38h Portrait de Rossini, huile de V. Camuccini. Musée du théâtre de la Scala, Milan.
38b Isabella Colbran dans le rôle titre d'*Elisabetta, regina d'Inghilterra,* dessin aquarellé de G. Pregliasco. Bibliothèque musicale de Turin
39h et b Partitions autographes de *Ermione.* Bibliothèque nationale/ Opéra Garnier, Paris.
40h Costume de Desdémone pour *Otello*, aquarelle et gouache de Paul Lormier, 1844. Bibliothèque nationale/ Opéra Garnier, Paris.
40m Costume d'Othello pour *Otello,* aquarelle et gouache de Paul Lormier. Bibliothèque nationale/ Opéra Garnier, Paris.
40b Costume de Iago pour *Otello,* aquarelle et gouache de Paul Lormier. Bibliothèque nationale/ Opéra Garnier, Paris.
40-41h Affiche pour une représentation d'*Otello* au théâtre San Carlo de Naples. Collection Ragni, Naples.
41hd *Othello et Desdémone,* huile de T. Chassériau, vers 1840. Musée du Louvre, Paris.
41bg Portrait de Rubini dans le rôle d'Othello, gravure. Bibliothèque nationale/ Opéra Garnier, Paris.
41bd Portrait de Rossi dans le rôle d'Othello. Bibliothèque nationale/ Opéra Garnier, Paris.
42h Maquette du costume de Rodrigo pour *La Donna del lago*, aquarelle de Fragonard fils, 1824. Bibliothèque nationale, Paris.
42b Partition autographe de *La Donna del lago*. Bibliothèque nationale/ Opéra Garnier, Paris.
43h *The March of Highlanders*, gravure. Bibliothèque nationale, Paris.
43b Maquette de costume pour Giacomo V dans *La Donna del lago,* aquarelle de G. Pregliasco. Collection Ragni, Naples.
44hg Maquette de décor pour *Moïse*, aquarelle d'Auguste Caron, 1827. Bibliothèque nationale/ Opéra Garnier, Paris.
44hd Maquette de *Moïse*, *Le Passage de la mer Rouge*, aquarelle d'Edouard Desplechin. Bibliothèque nationale/ Opéra Garnier, Paris.
44bg Costume de M. Nourrit, tenant le rôle d'Aménophis dans *Moïse*, aquarelle d'Hippolyte Lecomte. Bibliothèque nationale/ Opéra Garnier, Paris.
44bd Partition autographe de *Moïse*, «La Prière de Moïse». Bibliothèque nationale/ Opéra Garnier, Paris.
45 Maquette de décor pour *Moïse,* le temple d'Iside, aquarelle de A. Caron. Bibliothèque nationale/ Opéra Garnier, Paris.
46h Deux vues intérieures du théâtre de la Fenice à Venise, crayon anonyme, début XIXe s. Bibliothèque nationale, Paris.
46-47b *Le Grand Canal de Venise sous une averse de neige*, huile d'Ippolito Caffi. Musée municipal de Belluno.
48h Maquette de décor pour *Semiramis*, lavis, crayon et aquarelle de F. Bagnara, 1827. Musée Correr, Venise.
48b Carlotta Marchisio en costume de Semiramis, aquarelle d'Alfred Albert, 1860. Bibliothèque nationale/ Opéra Garnier, Paris.
49g Les sœurs Marchisio dans *Semiramis*, gravure. Bibliothèque nationale/ Opéra Garnier, Paris.
49d Portrait d'Isabella Colbran, gravure. Bibliothèque nationale/ Opéra Garnier, Paris.
50g Portrait de Rossini, huile de M. Mayer. Musée municipal de Bologne.
50d Acte de mariage d'Isabella Colbran avec Gioachino Rossini. Collection particulière.
51 Portrait d'Isabella Colbran-Rossini, huile de Schmidt. Musée du théâtre de la Scala, Milan.

CHAPITRE III

CHAPITRE IV

78-79b Portrait de Giuditta Pasta, huile anonyme Musée du théâtre de la Scala, Milan.
80 La sortie de la salle le Pelletier, huile d'Eugène Lami, vers 1840. Musée de l'Opéra Garnier, Paris.
81h *La Malibran au piano,* lavis d'Eugène Delacroix. Collection particulière.
81b. Portrait charge de Rubini, gravure. Bibliothèque nationale/ Opéra Garnier, Paris.
82g Elévation de la façade du théâtre de l'Odéon, gravure. Bibliothèque nationale/ Opéra Garnier, Paris.
82d *Rossini soutenant la comédie et l'opéra seria,* gravure. Bibliothèque nationale/ Opéra Garnier, Paris.
83 Portrait charge de Lablache, lithographie d'après la sculpture de Dantan. Bibliothèque nationale/ Opéra Garnier, Paris.
84h Partition autographe du *Comte Ory.* Bibliothèque nationale, Paris.
84b Costumes pour *Le Comte Ory*, aquarelle de Du Faget, 1828. Bibliothèque nationale/ Opéra Garnier, Paris.
85 *Le Comte Ory, déguisé en sœur, et la comtesse,* gravure. Bibliothèque nationale/ Opéra Garnier, Paris.
86 *Guillaume Tell quel aux Italiens... non à l'Opéra,* gravure, 1829. Bibliothèque nationale/ Opéra Garnier, Paris.
87h *Portrait de M. Nourrit,* huile anonyme. Musée de l'Opéra Garnier, Paris.
87b *Portrait de M. H.-B. Dabadie en costume de Guillaume Tell,* huile de F.-G. Lepaulle. Bibliothèque nationale/ Opéra Garnier, Paris.
88-89 Quatre maquettes de décors pour *Le Siège de Corinthe,* aquarelle et gouache de A. Caron, 1826. Bibliothèque nationale/ Opéra Garnier, Paris.
88h Acte III, scène des tombeaux.
88b Acte I, le vestibule du palais.
89h Acte II, la tente de Mahomet.
89b Acte III, la destruction : Corinthe en flammes.
90-91 Quatre maquettes de décors pour *Guillaume Tell,* 1875. Bibliothèque nationale/ Opéra Garnier, Paris.
90h Acte III, grande place d'Altorff. Maquette de A. Lavastre et E. Desplechin, gouache sur carton.
90b Acte IV, vue des montagnes et du lac. Maquette de J. Chéret, gouache sur carton.
91h Acte II, le lac des Quatre-Cantons, maquette de Ch. Camson, gouache sur carton.
91b Acte I, vue du chalet de Guillaume Tell, maquette de A. Rusé et P. Chaperon, gouache sur carton.
92h *Décor pour Guillaume Tell,* aquarelle de Carlo Ferrario, Acte I, 1899. Musée du théâtre de la Scala, Milan.
92b La scène du tir dans *Guillaume Tell,* gravure de Noël. Bibliothèque nationale/ Opéra Garnier, Paris.
92 Affiche pour une représentation de *Guillaume Tell* à Pesaro en 1884. Collection particulière.

CHAPITRE V

94 Portrait de Rossini, photographie de Nadar, 1880. Musée Carnavalet, Paris.
95 Portrait d'Olympe Pélissier. Bibliothèque nationale/ Opéra Garnier, Paris.
96h Page de titre de la partition de *Robert Bruce.* Musée Carnavalet, Paris.
96 *Abdication de Charles X,* gravure, 1830. Bibliothèque nationale, Paris.
97 Représentation d'*Otello*, gravure, 1840. Bibliothèque nationale/ Opéra Garnier, Paris.
98 *Rossini honoré,* gravure, 1830. Musée Carnavalet, Paris.
98-99h Affiche pour une représentation de *Guillaume Tell,* 1829. Bibliothèque nationale/ Opéra Garnier, Paris.
99b Caricature de Rossini, lithographie de Benjamin. Bibliothèque nationale/ Opéra Garnier, Paris.
100-101b Page de titre de la partition du *Stabat Mater.* Bibliothèque nationale, Paris.
100b *Intérieur d'une cathédrale espagnole,* huile de H. Hansen, 1830. Collection particulière.
101b Eventail de *La Urraca Ladrona*, gravure. Bibliothèque nationale/ Opéra Garnier, Paris.
102h Ovation à Rossini, salle Le Pelletier, gravure de N. Lambert, 1861. Bibliothèque nationale/ Opéra Garnier, Paris.
102b *Mater Dolorosa,* terre cuite de J.-B. Carpeaux. Musée des Beaux-Arts de Valenciennes.
103h Caricature de L.-D. Véron, gravure, Bibliothèque nationale/ Opéra Garnier, Paris.
103b Caricature de Rossini, dessin à la plume (autoportrait?). Collection particulière.
104h Lettre autographe adressée aux Giorgetti, à Florence, 1849. Bibliothèque nationale/ Opéra Garnier Paris.
104b Portrait d'Olympe Pélissier, huile attribuée à Horace Vernet. Fondation Rossini, Paris.
105 Vue de Florence, huile de T. Smith, 1850. Collection particulière, Florence.
106h Villa de Rossini à Passy, gravure in *l'Illustration.* Bibliothèque nationale/ Opéra Garnier, Paris.
106-107b *La Seine et Paris des hauteurs de Passy,* huile de Mozin. Collection particulière.

TÉMOIGNAGES ET DOCUMENTS

INDEX

A

B

NUOVA COMPIUTA EDIZIONE
DI TUTTE LE
OPERE TEATRALI
EDITE ED INEDITE
DEL CELEBRE MAESTRO
GIOACHINO ROSSINI
COMMENDATORE
MILANO
TITO DI GIO. RICORDI

CRÉDITS PHOTOGRAPHIQUES

Amati Bacciardi 148; Artephot 96b; bibliothèque musicale de Turin / DR 38b; bibliothèque musicale de Bologne / DR 18b, 50g, 70b; Bibliothèque nationale 11 12b, 19, 20, 23d, 24, 25b, 29, 43h, 58/59b, 74hg, 109; Bibliothèque nationale / Opéra Garnier dos, 1, 2/3, 4/5, 6/7, 25h, 26, 27, 31, 32, 33h, 36, 39, 40hg, 40m, 40b, 41b, 42, 44, 45, 46h, 48b, 49, 58h, 60, 61, 62h, 63, 68h, 73, 74hd, 77, 78b, 80, 81b, 82, 83, 84, 85, 86, 87, 88, 89, 90, 91, 92 b, 95, 97, 98b, 99b, 101, 102h, 103h, 104g, 106h, 107h, 111, 112, 114, 122, 123, 133, 134, 136, 140, 143, 144/145, 146, 147; Bohm photo 48h, 54, 68/69b; Bridgeman Giraudon 74/75b, 75h; Bulloz 17, 81h, 124; collection Ragni 28, 43b, 64; collection Reinbold Entzmann und Sohn / DR 4e plat; collection Rocco/ DR 1er plat, 34b; collection Cavalleri 52; Conservatoire royal de Bruxelles / DR 56 h; Dagli-Orti 10, 30, 51b, 57, 69h, 72g, 79b, 93; Edimedia 16h, 35b, 65g, 100b, 10b; Explorer icono 22; Fondation Rossini, Paris / DR 104b; Fondation Rossini, Pesaro : 65d, 110; Giraudon 21, 37, 55, 102b; Grazianeri-Cosmos / © Mencarini 1991 12h, 13, 14h, 34h, 40h, 50d, 107m, 108; Lauros-Giraudon 1er plat, 14/15b, 16b, 35h, 41, 79h, 106/107b; musée des Beaux-Arts de Tourcoing 23g; musée de théâtre de la Scala, Milan (photo Saporetti) 38h, 56b, 62b, 66, 92h, 125; musée de la ville de Paris, © SPADEM 1992 67, 71g, 76g, 94, 96h, 120; musée musical de Bologne (photo CNB et C) 1er plat; Roger-Viollet 18h, 33b, 116/117, 118, 126, 137; Royal college of Music / DR 70h; Scala 46/47b, 105; Sipa Icono 99h, 100/101h, 119; Victoria and Albert Museum 53.

REMERCIEMENTS

L'auteur remercie Philip Gossett pour sa relecture du texte, Catherine de Firmas et Hervé Audéon pour leurs précieux conseils, Alfred Caron pour ses indications discographiques, et Thérèse Boespflug pour les traductions de l'italien. Que Jean-Marie Bruson, du musée Carnavalet, soit particulièrement remercié pour ses nombreuses indications et sa généreuse participation à l'ensemble du travail. L'éditeur remercie Martine Kahane et Nicole Wild, de la bibliothèque-musée de l'Opéra, Josiane Limousin, du service photographique de la Bibliothèque nationale, ainsi que le collectionneur Sergio Ragni.

COLLABORATEURS EXTÉRIEURS

La maquette de cet ouvrage a été réalisée par Catherine Schubert. Dominique Guillaumin a assuré celle des Témoignages et Documents. Frédéric Mazuy a fait la recherche iconographique.

Table des matières